O namoro
E O NOIVADO
QUE ~~EU~~ DEUS
SEMPRE QUIS

RESGATANDO PRINCÍPIOS BÍBLICOS NA CONSTRUÇÃO DE RELACIONAMENTOS DURADOUROS

Alexandre Mendes
&
David Merkh

© 2013 por Alexandre Mendes & David Merkh

1ª edição: agosto de 2013
6ª reimpressão: janeiro de 2022

REVISÃO
Simone Granconato
Raquel Fleischner

CAPA
Maquinaria Studio

DIAGRAMAÇÃO
Catia Soderi

EDITOR
Aldo Menezes

COORDENADOR DE PRODUÇÃO
Mauro Terrengui

IMPRESSÃO E ACABAMENTO
Imprensa da Fé

As opiniões, as interpretações e os conceitos emitidos nesta obra são de responsabilidade dos autores e não refletem necessariamente o ponto de vista da Hagnos.

Todos os direitos desta edição reservados à
EDITORA HAGNOS LTDA.
Av. Jacinto Júlio, 27
04815-160 — São Paulo, SP
Tel.: (11) 5668-5668

E-mail: hagnos@hagnos.com.br
Home page: www.hagnos.com.br

Editora associada à:

Dados Internacionais de Catalogação na Publicação (CIP)
(Câmara Brasileira do Livro, SP, Brasil)

Mendes, Alexandre

O namoro e o noivado que Deus sempre quis : resgatando princípios bíblicos na construção de relacionamentos duradouros / Alexandre Mendes & David Merkh. — 1ª ed. — São Paulo : Hagnos, 2013.

Bibliografia

ISBN 978-85-63563-60-6

1. Casais - Relações interpessoais 2. Casais - Vida religiosa 3. Casamento - Aspectos religiosos 4. Família 5. Namoro 6. Noivado I. Merkh, David II. Título.

13-06242   CDD-248.844

Índices para catálogo sistemático:

1. Casais : Relacionamento : Guias de vida cristã   248.844

DEDICATÓRIA

Aos nossos filhos (e netos)...

Que Deus lhes conceda graça para construir relacionamentos duradouros e continuar o legado que recebemos dos nossos pais.

(Sl 78.1-8)

SUMÁRIO

Sobre os autores 7
Agradecimentos 9
Prefácio 11
Introdução: namoro e noivado para a glória de Deus 17
Parte I: O que Deus quer que você saiba
1. Duas histórias de amor 29
2. O ponto de partida 43
3. Um para o outro e ambos para Deus:
   O desafio do namoro com propósito 53
4. Espelhando a glória de Deus 61
5. Espalhando a glória de Deus 67
6. Representando a imagem de Deus 75
7. O manual do fabricante I: O Antigo Testamento 81
8. O manual do fabricante II: O Novo Testamento 97
9. Procura-se a vontade de Deus: Mitos no namoro 109
10. Essa é a vontade de Deus! 121
11. "Com quem será?" 129
12. Enquanto só 137

Parte II: O que Deus deseja que você cultive

13. Guardando o coração:
 O propósito de Deus para a sexualidade 145
14. "Já, mas ainda não":
 Namoro a ser desfrutado no temor do Senhor 155
15. Amor a ser desenvolvido conforme o modelo de Cristo 165
16. As três decisões mais importantes da sua vida 181
17. Pressões de escolha 193
18. O jugo desigual 201
19. Debaixo do guarda-chuva:
 Os papéis de pais e filhos na decisão de namorar 209
20. Amigos para sempre 223
21. Amor à última vista? 233
22. Cada um em seu devido lugar:
 Treinando para os papéis no casamento 241
23. Entrando numa boa discussão: Regras de comunicação 251
24. Quando a decisão final não é o casamento 259

Considerações finais 267
Bibliografia 269

SOBRE OS AUTORES

ALEXANDRE MENDES

O pastor Alexandre "Sacha" Mendes é casado com Ana desde 2007. Até o momento, o casal foi abençoado com dois filhos: Pedro e Tito, que enquanto este livro é escrito sequer pensam em namoro. Sacha é bacharel em Economia pela Universidade de São Paulo (2001), bacharel em Teologia com ênfase pastoral no Seminário Bíblico Palavra da Vida (2006), mestre em Aconselhamento Bíblico (M.A.) pelo *Master's College* (2009) e mestre em Divindade (M.Div.) pelo *Faith Bible Seminary* (2010).

Sacha serve como pastor de jovens na Igreja Batista Maranata, em São José dos Campos – SP e atua como professor externo em algumas instituições de ensino teológico.

DAVID MERKH

O pastor David Merkh é casado com Carol Sue desde 1982. O casal tem seis filhos: David Jr. (casado com Adriana), Michelle (casada com Benjamin), Daniel (casado com Rachel), Juliana (casada com Elton), Stephen (casado com Hannah) e Keila. O casal tinha cinco netos até o momento em que este livro foi escrito.

David é bacharel em Ciências Sociais pela Universidade de Cedarville (EUA - 1981), mestre em Teologia (Th.M.) pelo Dallas Theological Seminary (1986) e obteve seu doutorado em Ministérios com ênfase em ministério familiar no mesmo seminário (2003).

É missionário no Brasil desde 1987, trabalhando como professor e coordenador do Mestrado em Ministérios do Seminário Bíblico Palavra da Vida.

É um dos pastores auxiliares da Primeira Igreja Batista de Atibaia desde 1987 e hoje atua como pastor de Exposição Bíblica, pregando semanalmente, ensinando na EBD e dando cursos de treinamento para pastores.

David Merkh e sua esposa são autores de 15 livros sobre vida familiar e ministério prático, todos pela Editora Hagnos. Seu site, www.palavraefamilia.org.br, recebe milhares de visitas a cada mês.

AGRADECIMENTOS

Queremos agradecer a todos que colaboraram para que este projeto se tornasse uma realidade:

– Jovens e adolescentes que, ao longo dos nossos ministérios, têm respondido favoravelmente ao ensino da Palavra de Deus sobre princípios de namoro.

– Nossos filhos casados e aqueles ainda "na lista de espera", que nos incentivaram a divulgar este material a outros jovens.

– Nossas esposas, Carol Sue e Ana, companheiras fiéis, sempre nossas namoradas, pelo incentivo, encorajamento e paciência enquanto trabalhávamos no manuscrito deste livro.

– Adriana Barbosa Merkh (nora de David) pelas revisões do manuscrito e valiosas sugestões.

– Thiago Zambelli e Lucas Carvalho pelas sugestões de valor incalculável.

– Julie Reimer, ainda adolescente, que sugeriu o título do livro.

– Professores do *Master's College* (John Street, Ed Sommerville) pelo incentivo e autorização para que a tese fosse originalmente elaborada em português, facilitando o presente projeto.

– Revisores da tese em seus vários estágios, pela paciência e diversas sugestões (Carlos Osvaldo Pinto, Allan e Kim Yoder).

– Nossos pais e famílias no constante ensino e investimento em tantas áreas de nossas vidas.

– Os que fizeram um *test drive* do manuscrito deste livro antes de ser publicado: Aline, Nate, Rodrigo, Dani, Rogério ("Ford"), Rebeca, Leonardo e Karina.

– A equipe da Editora Hagnos, principalmente Marilene Terrengui e Juan Carlos Martinez. Todos que esperaram alguns anos para que este mais novo "filho" literário nascesse, e nos encorajaram muito no processo.

PREFÁCIO

Na madrugada de 22 de fevereiro de 1998, na Barra da Tijuca, RJ, o Edifício Palace II desabou parcialmente deixando oito vítimas fatais e 130 famílias desabrigadas.

O laudo do ICCE (Instituto de Criminalística Carlos Éboli) concluiu que o Palace II desabou devido a um erro generalizado do projeto estrutural: 78% dos pilares teriam sido construídos abaixo do padrão técnico e, dois deles (P4 e P44), que deveriam sustentar 480 toneladas, teriam sido construídos para suportar apenas 230 toneladas.

Entre os erros de execução apontados nos laudos estavam a deficiência de cobrimento das armaduras e o concreto fraco, com muitas bolhas de ar e possivelmente feito com areia do mar. No meio dos destroços, engenheiros encontraram conchas do mar misturadas ao concreto e em quatro pilares foram encontrados pedaços de madeira, sacos de cimento, plásticos e jornal misturados ao concreto. O engenheiro responsável pelo projeto estrutural do edifício Palace II disse na época ter certeza que o prédio caiu devido à utilização de material de baixa qualidade.[1]

---

[1] http://www1.folha.uol.com.br/folha/cotidiano/ult95u374741.shtml. Acesso: 9 de janeiro de 2012.

Quando se fala em construção, a qualidade do material usado determina a longevidade da obra. Nesse mesmo sentido, a Palavra de Deus pergunta: *Quando os fundamentos estão sendo destruídos, que pode fazer o justo?* (Sl 11.3). Vivemos dias em que os fundamentos do casamento estão sendo destruídos pelo uso de material de construção de péssima qualidade muito antes de chegar ao altar matrimonial.

> Só exige um pouco de bom senso para perceber que o inimigo deseja destruir o lar. Ele sabe que a melhor maneira de fazer isso não é atacar somente casamentos e famílias, mas destruir o alicerce do lar antes mesmo de ele ser construído.[2]

Apesar de milhares de anos de sucesso comprovado, a sabedoria divina centrada em Cristo, inspirada pela graça e revelada por Deus, está sendo substituída por manuais de autoajuda e psicologia *pop*. São como papelão, plástico e jornais no alicerce e nos pilares do futuro lar.

Este livro é uma tentativa de voltar aos fundamentos sólidos, o plano perfeito de Deus para a família, a partir (e até antes!) do namoro. Jesus e sua Palavra (ouvida e obedecida) precisam ser o fundamento (Lc 6.46-49). Mesmo aqueles que já usaram material de segunda linha na construção dos seus relacionamentos podem trocar os tijolos antigos por novos e ter um alicerce estável construído sobre a Rocha eterna (Sl 127.1,2; 2Co 5.17). As misericórdias de Deus se renovam a cada dia, dando-nos esperança de novos começos (Lm 3.23).

Em cada capítulo, nossa preocupação não é compilar as palavras dos homens (como a areia do mar), mas descobrir as pedras sólidas – as palavras do verdadeiro Construtor do lar - na pedreira do texto bíblico, e usá-las para fazer um edifício que há de permanecer apesar das tempestades inevitáveis da vida.

---

[2] JEHLE, Paulo. *Dating vs. courtship: a vision for a generation who will build a new foundations of truth, love and purity*. Marlboro, NJ: Plymouth Rock Foundation, 1993, p. 68.

PARA QUEM ESCREVEMOS?

Como pastores, somamos quase 40 anos de experiência pastoral no aconselhamento e pastoreio de jovens e jovens casais. Decidimos trabalhar juntos para aproveitar essas experiências à luz das Escrituras, unindo o "útil ao agradável". De um lado (do David) temos a experiência de um pai com seis filhos adultos, dos quais quatro já passaram pelo processo de namoro, noivado e casamento conforme apresentado aqui. Do outro lado, Alexandre com a experiência de um pastor de jovens que lida diariamente com as questões levantadas aqui e que pode muito contribuir, pois escreveu sua tese de mestrado focando o namoro no Brasil.

Escrevemos para jovens, seus pais e pessoas que ministram para jovens e pais. Escrevemos aos jovens com o profundo desejo de encorajá-los a resgatar princípios de pureza, amizade e dependência de Deus. Escrevemos para pais, na esperança de que acordarão para sua responsabilidade como autoridades, conselheiros sábios e amigos dos seus filhos, capazes de direcioná-los na difícil tarefa de construção chamada namoro e noivado. E escrevemos para líderes, professores de jovens e pastores que também têm o grande privilégio de direcionar vidas preciosas, construindo cercas de proteção para que depois não precisem resgatar vidas e relacionamentos arrebentados.

Destacamos que este livro NÃO foi escrito para dar princípios de "autoajuda", sugerir fórmulas do tipo "Dez passos para um namoro bem-sucedido", estimular namoros precoces entre pessoas imaturas ou satisfazer curiosidade sobre sexualidade humana. Do jeito como entendemos namoro, ou seja, à luz das Escrituras, tratamos de um relacionamento que dificilmente tem vez entre adolescentes, especialmente os mais novos. Pensamos em jovens que terão condições de seguir conselhos sérios que os prepararão para relacionamentos duradouros, sem desperdiçar ou até mesmo estragar alguns dos melhores anos de suas vidas.

COMO USAR ESTE LIVRO

Cada capítulo foi escrito com a intenção de tornar claro o ensino bíblico sobre relacionamentos que chamamos "namoro", com aplicações práticas em situações reais. Queremos encorajar indivíduos a usar o livro como um manual de preparação para o dia em que Deus os conduzirá para um namoro e noivado dentro da sua vontade. E muito incentivamos casais de namorados e noivos a lerem o livro juntos, até mesmo como um exercício devocional.

No decorrer do livro, contaremos algumas histórias de amor. Como diz o ditado, "cada caso é um caso". Mas as histórias atuais e bíblicas apontam a providência divina e nos ensinam lições valiosas. Queremos deixar claro que falamos "de pecador para pecador", e por isso estejamos sempre cientes da maravilhosa graça que transforma pecadores em troféus da graça de Deus (Ef 2.8-10).

Usando a figura de construção de uma casa, trataremos dos alicerces bíblicos de um namoro sério. Depois, falaremos sobre algumas paredes de proteção que são pré-requisitos para o casamento. Finalmente, lidaremos com alguns problemas comuns enfrentados no namoro e noivado – tempestades que precisam ser resistidas.

No final de cada capítulo, incluímos algumas perguntas para reflexão e/ou discussão como casal, em grupos pequenos, classes de Escola Bíblica, ou outros grupos de interesse.

Finalmente, queremos encorajar cada indivíduo e cada casal que usar este livro a não ter medo de procurar ajuda de um "líder espiritual" caso passe por problemas no seu namoro ou noivado. Quantos problemas poderiam ser evitados se houvesse um diálogo aberto e um acompanhamento de cada casal!

O DESAFIO

Reconhecemos que, para alguns, este livro poderá parecer "radical". Mas cremos que somente um retorno radical – ou seja,

Prefácio

às raízes da Palavra de Deus – será capaz de salvar uma geração de desastres tipo o Palace II.

Escrevemos na expectativa de que o livro vá ao encontro de uma necessidade gritante na igreja brasileira hoje. Temos pouco material de qualidade sobre namoro, noivado e casamento, baseado na suficiência das Escrituras, na centralidade de Cristo, para a glória de Deus e o benefício da igreja.

Nossa oração é que este estudo forneça material de construção confiável para todos os interessados em voltar a seguir a planta daquele que desenhou o lar e quer construir relacionamentos duradouros. Que Deus transforme nossos lares presentes e futuros pela sua verdade, para sua glória e para nosso bem.

Pr. Alexandre Mendes
Pr. David Merkh
Outono, 2013

INTRODUÇÃO: NAMORO E NOIVADO PARA A GLÓRIA DE DEUS

Há alguns anos notamos que parte da nossa casa estava cedendo. Rachaduras apareceram nas paredes do nosso quarto e do banheiro. Depois de um tempo, notamos que o chão do quarto começou a inclinar-se um pouco para a esquerda. Tentamos fechar as rachaduras com massa, mas alguns meses depois se abriam novamente.

Não entendíamos a razão de esses problemas aparecerem 25 anos depois da construção. Mas, não muito tempo depois, descobrimos que algumas manilhas, que passavam debaixo da casa, haviam quebrado. A infiltração de água embaixo prejudicou toda a estrutura em cima. Foi somente depois de refazer todo o encanamento da casa, usando material mais resistente, que resolvemos o problema.

AS COISAS QUE NÃO SE VEEM

Quando se trata de namoro, noivado e casamento, muitas vezes são justamente "as coisas que você não vê que eventualmente afetam as coisas que você vê."[3] Assim como um *iceberg* levou o Titanic ao naufrágio, esses detalhes podem destruir o futuro lar.

---

[3] TISSOT, Bob; RAHILL, Alex. *Sex, purity & holiness: a biblical perspective on sexuality and relationships*. Jones, MI: Bair Lake Ministries, 2002, p. 11.

DEFINIÇÃO FUNCIONAL DE "NAMORO"

Mas, o que é "namoro"? Antes de usar o termo e discutir seu propósito e os desafios inerentes a ele, é necessário defini-lo. Vale lembrar que a Bíblia não trata diretamente sobre o assunto. Ou seja, não existe na Palavra de Deus nenhuma referência ao namoro como é conhecido hoje. Não há no texto bíblico um termo equivalente ao período de conhecimento mútuo no qual os envolvidos decidem se irão casar ou não. Portanto, trata-se de um fenômeno cultural que precisa de limites para orientar a discussão. A definição usada aqui reflete o senso comum entre evangélicos sobre o assunto:

> "Namoro" é o período de relacionamento que envolve duas pessoas do sexo oposto com o objetivo de se prepararem para o casamento.

É nesse período que os desafios se manifestam. Às vezes, são levantados problemas que têm origem na desinformação teológica ou na ignorância em aplicar princípios conhecidos das Escrituras.

Por exemplo, o que será que acontece quando namorados crescem no desejo de casamento, mas existe forte oposição de um ou mais dos pais? Como ajudar jovens que se encontram em dúvidas com relação à vontade de Deus para o casamento? O que a namorada deve fazer quando o relacionamento cresce, mas seu namorado não demonstra sinais de maturidade para assumir as responsabilidades de um lar? Aliás, o que é maturidade à luz da Palavra de Deus? De onde vem a amargura de um namoro rompido?

UMA BREVE HISTÓRIA DO NAMORO

Em seu artigo *Dating, relating and fornicating* (Namorando, relacionando e fornicando) o pastor Mark Driscoll discorre um pouco sobre a história do namoro, ou, como é conhecido nos Estados Unidos, *dating*. Sugere que a prática como é feita hoje era

Introdução: namoro e noivado para a glória de Deus

desconhecida antes de 1900. Naquela época, fazer uma "visita" à menina era o meio principal de cortejá-la e planejar um casamento. Os pais supervisionavam os encontros, desde a duração da visita, a roupa, até a comida e as expectativas eram claramente colocadas. Assim, a moça era protegida de qualquer desvio sexual e o casal tinha pouco tempo totalmente sozinho.

Os anos 30 presenciaram uma mudança radical que, conforme Driscoll, ocorreu devido ao advento do automóvel, dando aos jovens uma liberdade e mobilidade que não tinham antes. Como resultado, os casais saíam sozinhos e as tentações aumentavam proporcionalmente. Nas décadas seguintes, uma situação se tornou frequente: o homem marcava um encontro com a mulher que gostava, gastava dinheiro em tal encontro, mas esperava alguns "favores" em troca. Uma espécie de "prostituição legalizada".

Nos anos 60 e 70, a revolução sexual transformou radicalmente as atitudes culturais quanto ao namoro, solteirice e relações sexuais entre os não casados. A pornografia e o aborto viraram epidemias, transformando o "tabu" do sexo fora do casamento em algo "casual", aceito e, eventualmente, esperado entre jovens solteiros.[4]

Hoje, o namoro está situado num contexto brasileiro hipersexualizado. Os muitos muros de proteção do passado praticamente desapareceram. O namoro precoce é um fenômeno relativamente recente, sintoma da decadência da era em que vivemos. Ouvimos mais e mais histórias de crianças de 9, 10 e 11 anos que já estão "namorando". E outras, de 12, 13 ou 14 que ficam desesperadas porque ainda não rolou um "relacionamento". Envolvem-se em *sexting*, jogo de palavras em inglês relacionado à palavra *texting*, ou seja, enviando mensagens eróticas (com fotos) aos seus "namorados" por celular, iPhone etc.

Alguns pais se orgulham do filho que consegue "pegar" as moças. Outros incentivam suas filhas a serem sensuais, com

---

[4] DRISCOLL, Mark. *Dating, Relating and Fornicating*, http://pastormark.tv/2011/10/26/dating-relating-and-fornicating.Acesso: 16 de janeiro de 2012.

decotes baixos, *shorts* curtos e tudo apertadinho para "chamar atenção". Isso tudo é fruto da mídia e das propagandas de *photoshop* que fazem do corpo e da sexualidade ídolos a serem servidos desde a mais tenra idade. Representam defeitos debaixo da casa, infiltrações que ameaçam desabar toda a estrutura por cima.

ENSAIANDO O DIVÓRCIO

Se existe algo a se aprender com o namoro típico da sociedade de hoje, então é o seguinte: como começar e desfazer relacionamentos íntimos em tempo recorde. Há mais músicas populares escritas sobre o processo de desmanchar um relacionamento romântico do que como encontrar e manter aquele relacionamento "custe o que custar".[5]

Imagine um jovem que namorou quatro ou cinco pessoas diferentes nos últimos oito anos. Encontrou uma moça, gostou dela, namorou com ela, então, encontrou outra moça, e desmanchou com a primeira para namorar a segunda. E isso vai acontecendo até que, de repente, encontra a moça "certa". Agora vai desenvolver um relacionamento com ela durante o resto de suas vidas. Será?

O que essa pessoa aprendeu ao longo dos anos? Como ficar insatisfeita e inconstante num relacionamento com o sexo oposto! Como desfazer um relacionamento! Como "cair fora" quando as dificuldades surgem, os hormônios se dissipam ou a vontade diminui. Será que tudo vai mudar agora porque ACHA que encontrou o príncipe ou a princesa de seus sonhos?

Paira no ar a pergunta:
- Como vamos construir um relacionamento duradouro, quando nosso padrão de múltiplos namoros só nos ensinou a desmanchar relacionamentos?

"[Há] uma falta de cuidado e zelo próprio por parte de muitos dos nossos jovens que se dizem crentes, em não estabelecer

---
[5] JEHLE, Paul. *Dating vs. courtship*, p. 22.

Introdução: namoro e noivado para a glória de Deus

critérios para os seus namoros. Onde, para muitos, namorar e trocar de camisa têm sido quase a mesma coisa."[6]

Os autores Michael e Judy Phillips afirmam que "O processo de formar elos emocionais que terminam ou se desmancham, passando para o próximo parceiro, [múltiplos namoros] prepara jovens para o padrão de casar, divorciar e recasar."[7]

Não estamos sugerindo que namoro é para sempre! Mas o namoro leviano precisa ser reconsiderado com urgência. "Quando praticamos o método do mundo de desmanchar relacionamentos, ensaiamos como desmanchar. De fato, ensaiamos o divórcio! Depois, ficamos a perguntar como nós, membros da igreja, ficamos tão peritos no divórcio."[8]

SUCESSO A QUE PREÇO?

Fazemos pouco para enfrentar a realidade e os desafios difíceis de relacionamentos duradouros. Não deve nos assustar o fracasso de lares sem fundamento, quando toda nossa energia, recursos e tempo são gastos preparando-nos para ser um "sucesso na vida, na escola e nos negócios", mas um fracasso em casa. Como diz o adesivo de carro: "Nenhum sucesso na vida compensa o fracasso no lar."

A Bíblia não fala DIRETAMENTE sobre o namoro, mas dá MUITOS princípios capazes de nortear esse relacionamento entre homens e mulheres. Deus fala sobre o relacionamento entre os sexos. E o "princípio fundamental" tem a ver com o título deste livro. O importante no namoro, como em toda a vida, não é o que EU sempre quis, mas o que DEUS quer. *Assim, quer vocês comam, bebam ou façam qualquer outra coisa, façam tudo para a glória de Deus* (1Co 10.31). *Pois dele, por ele e para ele são todas as coisas. A ele seja a glória para sempre! Amém* (Rm 11.36).

---

[6] SOUZA, Rodson. *Você e o seu namoro*, p. 24.

[7] PHILLIPS, Michael e Judy. *Best friends for life*. Minneapolis: Bethany House, 1997, p. 86.

[8] TISSOT, Bob; RAHILL, Alex. S*ex, purity & holiness*, p. 56.

Essa simples mudança de foco é capaz de revolucionar a maneira pela qual você, seus amigos e seus pais consideram o namoro. E ainda mais incrível: quando buscamos a glória de Deus e sua vontade, encontramos a fonte da felicidade, a satisfação e o contentamento na Pessoa de Jesus! Como o pastor John Piper afirma: "Deus é mais glorificado em nós quando ficamos mais satisfeitos nele!"

REVOLUÇÃO COPERNICANA

Copérnico foi um cientista do século XVI que amplamente divulgou a ideia de que a Terra e os outros planetas giravam em torno do Sol (heliocentrismo), contrariando a visão até então existente que dizia que a Terra era o centro do Universo (geocentrismo). Ou seja, ele concluiu depois de muita resistência e muito estudo que o Sol é o centro do Sistema Solar e não a Terra. Uma vez aceito esse conceito, muitas questões confusas na ciência entraram "nos eixos". Antes não havia solução para alguns desses problemas, porque o ponto de partida estava errado.

Infelizmente, mesmo na igreja, quando se fala em namoro, o "papo" soa muito mais como se o mundo estivesse falando, e não Deus. Pois o ser humano guia sua vida como se ele fosse o centro de todas as coisas. Acredita-se (inclusive na igreja) que deslocar o homem do centro é um conceito impensável. Se errarmos na definição do centro, tudo na nossa vida ficará desajeitado. Portanto, precisamos de uma mudança radical de perspectiva – uma mudança "copernicana".

Falhamos quando não percebemos que o mundo somente "funciona" quando gira em torno de Deus e sua glória. Quando o homem ocupa o ponto central do universo, tudo fica desajeitado. Somente relacionamentos que giram em torno da Pessoa e da Palavra de Deus terão o êxito que Deus quer.

FÁBRICA DE SAPATOS

Quando lemos estatísticas cada vez mais assustadoras sobre o índice de divórcio em alguns países, que às vezes chega à casa de um em cada dois casamentos, concluímos que algo está muito errado na maneira pela qual formamos os "pares". E muitos dos que permanecem casados se contentam com relacionamentos medíocres, quase que casados apenas para manter as aparências sociais ou religiosas.

Imagine se você fosse o dono de uma fábrica de sapatos para exportação, só que de cada dois pares de sapatos, um saísse com defeito. O que faria? Com certeza pararia tudo e voltaria à linha de produção para descobrir o que estava acontecendo.

Da mesma forma cremos que hoje é necessário parar a linha de produção de casais, voltar ao início e rever todo o processo à luz do manual do fabricante, a Palavra de Deus. Como um casal de autores afirma:

> Temos que repensar todo o processo de como selecionamos o futuro marido e a futura esposa... Medidas radicais são necessárias... Se você está satisfeito com menos de 50% de chance de que... seu casamento vai permanecer, então ignore essa premissa e permita que o [padrão normal de namoro] continue a ditar sua perspectiva sobre romance.[9]

Infelizmente, não é isso que acontece hoje. Ironicamente, quanto mais lares se afundam, mais distantes andamos dos princípios sábios e comprovados da Palavra de Deus. Cambaleamos perdidos atrás de fórmulas, palestras, manuais de autoajuda e a mais nova teoria sociológica. Mas os princípios da Palavra de Deus têm funcionado muito bem para aqueles que os seguem ao longo de milhares de anos. Mudar por quê?

---

[9] PHILLIPS, Michael e Judy. *Best friends for life,* pp. 23, 67.

Nosso alvo será tentar voltar sua atenção, como leitor, para o plano e propósito que DEUS tem para o namoro, noivado e casamento. Em tudo queremos focalizar a glória de Deus como revelada na Palavra que ele escreveu justamente para nos nortear neste labirinto que chamamos vida. Se acharmos as diretrizes "radicais", esse é mais um reflexo da distância que estamos do plano de Deus. Estamos convictos de que a única maneira de reverter o desastre que vemos acontecendo em lares, igrejas e na sociedade em geral é voltar às bases da suficiência da Palavra de Deus visando à glória de Deus acima da "felicidade" do homem.

RESUMINDO

1. As rachaduras no alicerce do namoro podem eventualmente destruir a casa (casamento).

2. "Namoro" é o período de relacionamento que envolve duas pessoas do sexo oposto com o objetivo de se prepararem para o casamento.

3. Namoro é um fenômeno relativamente recente que tem sido hipersexualizado e banalizado em nossos dias.

4. Práticas atuais de "namorar e desmanchar" servem para ensaiar o divórcio e não contribuem para relacionamentos duradouros.

5. A Bíblia não fala DIRETAMENTE sobre o namoro, mas dá MUITOS princípios capazes de nortear esse relacionamento entre homens e mulheres.

6. Precisamos rever nossas atitudes, práticas e hábitos de namoro para não continuar a formar lares que mais cedo ou mais tarde fracassarão.

PARA DISCUSSÃO

1. Você concorda com a definição de "namoro" citada acima? Por quê?

2. Como muitos namoros "típicos" hoje podem ser ensaios para o divórcio e não para um relacionamento duradouro?

3. Algumas estatísticas apontam para o fato de que hoje no Brasil 1 em 4 ou 1 em 3 casamentos termina em divórcio. Em sua opinião, quais são os fatores evidentes já no namoro que contribuem para essa situação?

4. Identifique alguns princípios para um relacionamento estável e duradouro que já devem estar presentes no namoro.

PARTE I

O que Deus quer que você saiba

1. DUAS HISTÓRIAS DE AMOR

DAVID E CAROL SUE

Na minha juventude nos Estados Unidos, eu desconhecia a maioria dos conceitos sobre namoro, noivado e casamento apresentados neste livro. Mas o mais profundo desejo do meu coração era ter um lar verdadeiramente cristão. Infelizmente (do ponto de vista humano) minha própria família de origem havia passado por momentos de grande turbulência na minha infância e adolescência. Mas o que parecia mal para mim, Deus usou para pôr em meu coração uma paixão por um lar que exaltava Cristo (Gn 50.20). Só que eu não sabia por onde começar.

Li todos os livros que consegui sobre lar cristão e procurei por modelos. Não encontrei o que tanto esperava – uma família que procurava, mesmo que imperfeitamente, seguir os princípios bíblicos sobre relacionamentos no namoro, noivado e casamento. Não digo que essas famílias não existiam, mas eu não as conhecia pessoalmente.

Foi nessa época que saí de casa para entrar numa faculdade evangélica longe do meu estado, onde também entrei para o time titular de futebol. Foi no campo que encontrei um *craque* de bola, um jovem americano criado no Brasil, David Cox Jr. Nós dois éramos os capitães do time e desenvolvemos uma boa amizade. De vez em quando David compartilhava um pouco sobre sua família no Brasil e fiquei encantado com o que ouvi. (Ainda mais, quando um dia antes do treino ele me mostrou uma foto da sua linda irmã que morava no Brasil!).

Tudo que meu amigo falava sobre os padrões, as tradições e o amor da sua família soava muito estranho para mim, mas ao mesmo tempo era isso que eu procurava. Uma família que não seguia princípios da cultura americana ou da brasileira, mas que tentava seguir uma cultura "bíblica", mesmo que às vezes parecesse "radical".

Foi quando eu sondei com eles a possibilidade de fazer um "estágio" no Brasil. Eu já havia viajado para África com um time missionário de futebol, mas pensei que uma experiência na América Latina seria uma ótima oportunidade. Eu desejava agora um estágio não tanto missionário, mas familiar, tal era minha vontade de ver um lar verdadeiramente cristão em ação.

Devo acrescentar que neste ínterim conheci a irmã do meu amigo, que havia chegado à faculdade para estudar Pedagogia. Por um "arranjo providencial", o David havia pedido que eu e um amigo estivéssemos no aeroporto JFK, em Nova Iorque, para encontrar sua irmã, Carol Sue, caso o voo vindo do Brasil atrasasse e ela perdesse a conexão para o próximo voo. Fiquei mais que pronto para ajudar meu querido colega de bola. No aeroporto, conforme todas as minhas orações, descobrimos que o avião atrasara, e Carol Sue perdera a conexão. Eu e meu amigo tivemos o privilégio de acompanhar a dama numa viagem de 5 horas de carro até a casa dos avós dela.

Para mim, foi amor à primeira vista. Na verdade, olhando para trás, hoje entendo que foi mais "paixão à primeira vista", mas na época eu não entendia o que era o amor bíblico. Quando chegamos à casa dos avós, Jack e Marge Wyrtzen, fundadores do ministério internacional conhecido como Palavra da Vida, eu desmoronei. Fiquei intimidado quando coloquei meu nome no livro de "hóspedes e convidados" na entrada da casa daquela gente famosa, ao lado do nome de atletas profissionais, astronautas, políticos e presidentes de universidades dos EUA.

Mesmo assim, de volta para a faculdade, escrevi uma carta para o sr. David Cox, pai do meu amigo e da Carol Sue, o fundador do Seminário Bíblico Palavra da Vida no Brasil. Pedi permissão para passar algumas semanas com sua família, "sugando da sua sabedoria e colhendo os frutos do convívio familiar." O sr. David, sendo um homem de visão, desprendimento, generosidade e hospitalidade, prontamente respondeu: NÃO! A razão principal era o fato de que naquele momento ele só tinha a filha caçula em casa, e achava que não valeria a pena fazer toda aquela viagem para ver a família em ação quando a maior parte dela estava fora do país. Mas ao responder à carta, ele comentou com sua esposa, dona Mary-Ann Cox, que ele mudaria de opinião rapidamente se o nome desse "David Merkh" começasse a aparecer nas cartas da filha Carol Sue.

Pela graça de Deus, foi isso que aconteceu. Quando a Carol Sue chegou ao campus gelado da faculdade nos EUA, foi como se uma flor brasileira tivesse caído do céu em meio à neve daquele inverno inóspito! Todo mundo (pelo menos os rapazes) queria conhecer a moça bronzeada, bonita e atlética recém-chegada do outro lado do Equador. Eu, por minha vez, me desanimei novamente. Não queria competir com seiscentos outros rapazes pela atenção da princesa da festa.

Mas onde o desânimo aumentou, a graça superabundou. Por "coincidência", a minha irmã também estudava na faculdade e virou grande amiga da Carol Sue. Nós quatro, as moças amigas e os dois Davids, compartilhamos muitas refeições juntos, e logo uma boa amizade se formou entre nós. De vez em quando eu e Carol Sue saíamos para correr juntos, assistir a jogos de basquete e acabamos conversando muito.

Foi quando ela sugeriu que eu escrevesse novamente para o pai dela, solicitando a possibilidade de um "estágio familiar". Desta vez a resposta rápida de seu pai foi "SIM"!

Nos meses que antecederam a viagem, minha amizade com Carol Sue deslanchou. Tínhamos muitos interesses em comum. Acima de tudo, nosso desejo de servir ao Senhor em algum campo missionário do mundo nos unia cada vez mais. Logo ficou claro que estávamos nos tornando cada vez mais amigos. Mas, nada de namoro ainda. A Carol Sue havia assinado um "pacto" com toda a família de que não iria começar um namoro sem ter a aprovação entusiástica de todos. Isso incluía até a irmã caçula de 11 anos!

No fim, acabei passando oito das melhores semanas da minha vida no Brasil com a família dela. Tudo que eu havia sonhado de uma família e lido em livros, eu vi na prática. Nada de perfeição, mas uma família de perdoados que sabiam viver a graça de Deus e perdoar uns aos outros. No fim do meu "estágio", foi feito um encontro familiar agradável em que cada membro da família pôde falar sobre o meu relacionamento com a Carol Sue. Como resultado, recebemos luz verde para prosseguir com o relacionamento.

Voltei para os EUA, eufórico e logo iniciamos o namoro. Achei que seriam mil maravilhas até o dia do nosso casamento, mas haveria outros desafios de construção pela frente.

Depois de um bom tempo, comecei a planejar nosso futuro. A Carol Sue tinha alguns sonhos bem específicos quanto ao noivado. Ela gostaria que fosse uma surpresa durante o período da faculdade, para que as amigas pudessem celebrar juntamente com ela.

Pensando nisso, planejei com muito cuidado uma série de eventos que iriam culminar no "noivado dos sonhos" dela. Comecei a entregar pequenas poesias dentro de caixinhas de fósforos, junto com presentes simbólicos representando o aniversário de cada ano do nosso futuro casamento (1º ano – papel; 10º ano – madeira; 25º ano – prata; 50º ano - ouro etc.). Era algo aparentemente espontâneo e que ela não sabia que terminaria com a poesia escrita para a caixa número 75, representando o diamante. A caixinha viria com o brilhante de noivado, a aliança, conforme o costume nos EUA.

Só que enquanto nos aproximávamos do grande dia, escrevi inocentemente uma carta para meus futuros sogros AVISANDO-OS sobre a data iminente do nosso noivado. Quando eles perceberam que as coisas haviam adiantado tanto e que eles nunca tinham visto nós dois juntos (pois a Carol Sue não voltou para o Brasil mais) ficaram indignados. Para eles, a permissão de namorar a filha era permissão para NAMORAR, não noivar.

A carta que recebi deles deixou muito claro que, se eu quisesse me casar com a filha deles, iria pôr fim aos planos de noivado e já. Arrasado, fiz exatamente isso. Precisei revelar para Carol Sue tudo que havia acontecido e o que não mais iria acontecer. Ficamos arrasados. Mas, sentamos juntos e gravamos uma fita K-7 (a tecnologia mais moderna da época) que seria enviada para os pais dela. Com lágrimas sinceras, explicamos que, mesmo não entendendo todas as razões pela proibição do noivado, iríamos seguir o conselho deles ao pé da letra.

Algumas semanas depois, recebemos uma carta de resposta, na qual o pai dela escreveu como se fosse o produtor de uma novela. Ele foi descrevendo o roteiro e a próxima cena bem criativa, porém mantendo a mesma postura contra o noivado naquele momento. Ficamos tristes, mas resolutos em obedecer e honrar os pais.

Não muito tempo depois, numa linda noite um pouco antes da Páscoa, levei a minha namorada para comer num restaurante chique. Durante a refeição, lhe entreguei uma cesta de Páscoa cheia de doces, ovos com brindes e também algumas "dicas" dos planos que havia feito para nós para aquele fim de semana. No fim, ela abriu um ovo dourado, aninhado no fundo da cesta. Sentei ao lado dela porque nessa dica ela precisava da minha ajuda para "preencher". Quando abriu o ovo, era um brilhante de noivado acompanhado por meu pedido em casamento!

Ela não acreditou e até exclamou que ainda não podíamos noivar. Foi quando eu lhe mostrei OUTRA carta escrita pelo "produtor da novela". Naquela carta, o pai dela explicou que eles haviam decidido de última hora mudar o roteiro e o fim da história.

Estavam dando permissão para o noivado e para todos os planos que o seguiriam. No fim, a surpresa foi bem maior, e justamente na época em que todas as amigas dela ainda estavam no campus. Sonhos realizados!

Agora, aperte o "avanço rápido" para 30 anos depois: Deus realizou não somente aqueles sonhos, mas muito mais. Por causa da sua graça que fez com que eu procurasse um modelo digno de família, me deu uma linda família, uma esposa maravilhosa, um novo país, um ministério abrangente, seis filhos e muito mais! Aprendemos de primeira mão lições valiosas sobre amizade, obediência, submissão às autoridades, unidade familiar, pacto e jugo igual. E nosso desejo é que a nossa história, junto com os princípios bíblicos deste livro, contribuam ainda mais para a glória de Deus e lares cristãos sólidos e alegres.

SACHA E ANA

Nasci e cresci num lar cristão. Graças a Deus, meus pais investiram muito para que meus irmãos e eu fôssemos expostos aos ensinos bíblicos. No contexto do lar, fui desafiado a pensar nas implicações práticas da fé que abracei ainda criança. Era um passo inovador para meus pais, principalmente para minha mãe, que vinha de um lar em que as boas novas do evangelho chegaram depois de o pecado já ter feito estrago na vida de meus avós.

O incentivo de viver as implicações da fé me levou a questionar e avaliar o que acontecia ao meu redor. Observei adolescentes e jovens dentro e fora da igreja caindo num padrão de namoro estranho a tudo o que aprendi na Palavra de Deus. *Como pode?*

No entanto, essa indignação alimentou um orgulho perigoso e disfarçado de piedade. Sabia que o namoro tinha que ser diferente e eu queria que fosse diferente para mim também. Porém, eu ainda estava cego para enxergar um plano maior que a realização do legítimo desejo de casar. Lamentavelmente, criei a falsa noção de que namoro, noivado e casamento resumiam-se a uma lista de "pode" e "não pode". Ah, como gostamos de receitas que garantam uma vida sem sofrimento! O problema é que o sofrimento faz parte de um plano maior e melhor, onde Deus produz em nós, de forma amorosa e eficaz, a imagem de seu Filho Jesus Cristo, tirando o que não se parece com ele. Tudo isso para a sua glória.

Com o passar do tempo, Deus mostrou que relacionamentos eram uma área eficaz em suas mãos para apontar meu orgulho e autossuficiência. Deus estava pronto para sacrificar minha felicidade temporal para produzir gozo eterno. Relacionamentos quebrados derramaram lágrimas que posteriormente regaram uma confiança maior no Senhor Jesus Cristo. A insegurança de namoros desfeitos me ajudou a enxergar a verdadeira base de um relacionamento conjugal. Minha lista de "pode" e "não pode" mostrou-se incapaz de garantir o que eu mais queria: um namoro diferente do mundo. Percebi, então, que eu não era tão diferente como pensava e sonhava. Foi uma experiência do tipo "aquele que se exalta será humilhado".

E foi nesse turbilhão de reflexões que Deus levantou mais uma vez meus pais, amigos e conselheiros que me incentivaram a viver a fé que abracei. *O que é casamento? Por que eu quero casar? O que estou de fato procurando?* Essas foram algumas das diversas perguntas *existenciais-matrimoniais* que me levaram a procurar respostas na Palavra. Foram perguntas assim que motivaram uma pesquisa intensa na Palavra de Deus sobre o assunto, que resultou num trabalho de conclusão de curso e na minha contribuição para este livro.

Enfim, enquanto tudo isso acontecia, o Grande Maestro da Humanidade ensinava lições parecidas a uma jovem em algum outro lugar não muito distante. Ana cresceu num lar cristão depois que seus pais foram alcançados pela graça de Jesus quando ela ainda era um projeto de embrião. Portanto, logo cedo ela ouviu de Cristo e respondeu com fé.

Depois de uma experiência dura de namoro e de ouvir conselhos dos pais e do pastor, também se rendeu ao plano de

Deus para sua vida no que se referia ao casamento. Era hora de esperar, seguir servindo ao Senhor e aprender mais dele. Nesse contexto, Ana decidiu dedicar um ano de sua vida para estudar mais da Palavra de Deus no Seminário Bíblico Palavra da Vida. E foi ali que as histórias de duas pessoas não muito distantes começaram a se encontrar.

Mas primeiro é importante notar que anos antes, em 1998, uma grande amiga da Ana, Priscila, casou-se com meu primo, Márcio. Ambos estávamos no casamento, mas não nos conhecíamos e nem nos falamos naquele momento. O fato foi marcante porque depois de aproximadamente 7 anos, Priscila resolveu agitar um encontro entre nós dois. Conversando com a Ana, Priscila lançou a ideia de marcar um jantar para que nos conhecêssemos. Não sei se foi porque Ana não se entusiasmou (o que não seria difícil de acontecer já que poucas pessoas se entusiasmam com jantares do tipo "empurrãozinho"), mas o jantar nunca aconteceu, pelo menos nos moldes propostos.

No meio disso tudo, enquanto Ana estudava no seminário, a Priscila comentou sobre mim: "o primo do Márcio também estuda no seminário". Os detalhes sobre o "primo" ficaram perdidos no comentário, impossibilitando que Ana encontrasse o "primo". Mais um ponto importante para evidenciar a providência de Deus e não a estratégia humana.

Então, foi apenas no segundo semestre do Seminário que nos encontramos na fila de um almoço e perguntei sobre o estágio de férias a essa simpática aluna do primeiro ano. A resposta foi rápida e simples, apenas uma conversa casual. Depois de não muito tempo, a mesma aluna vendia trufas para ajudar a pagar as mensalidades de um colega de turma. Como a causa era nobre, resolvi comprar algumas trufas para ajudar, mesmo não sendo meu doce favorito. No pagamento, achei interessante fazer um fiado, uma vez que essa seria a garantia de mais uma circunstância para conversar com a doce vendedora do doce. Pagamento feito e mais umas palavras.

A partir daí, começamos a desfrutar de uma amizade diferente, que envolvia amigos e colegas do Seminário ao mesmo tempo em que aprendíamos mais um do outro.

Então, os trabalhos e provas se acumularam como acontecia ao final de todo semestre. Hora de estudar, mas por que não na biblioteca? Talvez essa fosse uma forma de aumentar a possibilidade de encontrar com Ana. E assim foi, estudamos algumas vezes juntos. E numa dessas oportunidades, perguntei se ela não queria ver uma foto do meu avô. Não sei se essa é a melhor forma de conquistar alguém, mas meu objetivo aqui é descrever os fatos e não transmitir técnicas infalíveis de conquista. Seja como for, ela disse "sim".

E lá estava meu avô na foto, sentado e exibindo seu bigode característico. Ao seu lado, alguns netos com suas esposas. Sim, entre eles, Márcio e Priscila. Sem demorar muito, Ana pergunta: "quem é esse aqui?" Eu respondo: "Meu primo Márcio e sua esposa Priscila". E ela diz: "Ah." E eu não digo nada, faço comentários relacionados com a foto e voltamos a estudar. Depois do tempo de estudo, Ana ligou para sua mãe e contou o que eu saberia só depois que estivéssemos namorando: "o Sacha é o primo do Márcio!"

Bom, a amizade prosseguiu vagarosa e normalmente até o final do pouco tempo que ainda tínhamos juntos no Seminário. Tive medo do que poderia acontecer, parte porque não queria perder a oportunidade de ver nossa amizade crescendo já que a Ana voltaria para sua cidade, e também porque lutei com o medo de errar. Resolvemos continuar construindo uma amizade à distância, orando por aquilo que Deus teria para nós no que se referia ao futuro.

Com o tempo, a amizade amadureceu superando a distância que nos separava. Nos meus dias de folga, viajava para visitar a Ana. Passávamos o dia juntos, conversando sobre diversos assuntos. Orávamos e também interagíamos com as respectivas famílias em oportunidades diversas.

Mas até quando? Quando Deus daria uma resposta? E como saberíamos? Queria tanto acreditar na *revelação direta do espelho embaçado*. Você já imaginou se depois de um banho quente, tivesse uma mensagem escrita pelo dedo de Deus no espelho embaçado: *Sim, é ela! Podem casar e vocês serão felizes para sempre!* Deus pode fazer o que ele quiser, mas eu não deveria esperar que ele fizesse nada diferente do que disse que faria. O Senhor se comunica conosco por meio de sua Palavra. Ele usa conselheiros e até mesmo inclina o coração, mas sua vontade é revelada em sua suficiente Palavra, a Bíblia. Portanto, estávamos diante da responsabilidade de buscar ao Senhor e aplicar a sua Palavra para uma decisão que o agradasse.

Em nossas conversas, já tínhamos estabelecido de forma clara nossos objetivos, compartilhado convicções e aspirações para um lar futuro. Ana estava ciente para onde Deus estava conduzindo minha vida e mostrava-se disposta a me acompanhar na corrida ministerial. E para somar, gostávamos muito da companhia um do outro. Mas faltava algo! Embora os pais já estivessem cientes e presentes em tudo isso, eles ainda não se conheciam. Queríamos que nossos pais se conhecessem para selar o processo de conhecimento mútuo e autorizar o namoro.

Marcamos um almoço na casa dos pais da Ana num feriado. Em volta da mesa, conversamos muito e sobre muita coisa. Para meu desespero, conversamos até demais. Simplesmente, eu não conseguia entrar na conversa para direcionar o papo para o nosso relacionamento. Comemos a entrada, o prato principal e a sobremesa. Nessas alturas, minha mãe já havia desistido de me encorajar com olhares e até mesmo com leves pontapés por debaixo da mesa. Mas foi no cafezinho que finalmente eu consegui emendar um "então". Foi uma oportunidade para contar como Deus estava direcionando nossa amizade até o momento e para reforçar o convite da participação de cada um em nossa amizade. E foi assim que terminou o almoço.

Saindo de lá, fomos ao aniversário de um tio e depois tomamos um café para conversar mais. Nessa conversa, falamos sobre o almoço e de tudo o que aconteceu. Mas ainda não estávamos oficialmente namorando. Ciente disso, voltamos na casa dos pais da Ana, conversei novamente com seu pai, esclarecendo meus objetivos de namorar com sua filha visando o casamento. Queríamos namorar com essa perspectiva. E a resposta foi "sim!" Alguns meses depois, voltei a conversar com os pais da Ana, explicando que entendia ser o momento de noivarmos e marcarmos a data do casamento.

Debaixo da autorização e bênção dos nossos pais, convidei Ana para um jantar. Jantamos num lugar diferente, conversamos bastante. Depois do jantar, eu simplesmente não sabia como abordar e nem onde fazer o meu pedido de casamento previamente autorizado. Não me parecia natural puxar a caixinha com alianças naquele momento. Então, saímos de lá e andamos um pouco de carro sem destino. Sem conhecer muito bem a cidade, não consegui nada melhor que um estacionamento de supermercado para parar. E foi num estacionamento que puxei uma carta do porta-luvas do carro. Li a carta para a Ana, que continha uma espécie de diário, relatando diversas situações que envolviam nossa amizade e namoro, desde o tempo do convívio no Seminário. Na carta, coloquei coisas que pensei e orei, mas que não deveriam ser ditas a ela até aquele dia. Demos risadas juntos lembrando de pequenas coisas de nossa amizade. E no último dia registrado no diário:

> [...] Nosso relacionamento começa a vislumbrar um ar de caminhada juntos. As pequenas coisas que eram tão importantes quando adolescente já saíram para dar lugar às conversas sobre a vida juntos em uma caminhada até que a morte nos separe.
>
> Já tenho um par de alianças em casa e em breve ficaremos noivos para a glória de Deus. Estou tão tranquilo e ainda assim clamando a orientação de Deus nesses passos que estamos dando. Como precisamos dele para nos ensinar a sermos um casal que irá glorificá-lo.
>
> Algumas coisas ainda parecem nos assustar, mas nada deve nos preocupar quando crescemos no temor do Senhor. Quero muito isso: crescer no temor do Senhor com você!

Não tenho ideia do que Deus está preparando para nós, mas uma coisa é certa, é algo perfeitamente sábio e amoroso. Assim é o nosso Deus, sábio e amoroso.

Ainda tenho muito que aprender sobre ser um marido que irá amá-la como Cristo amou a igreja. Quero aprender mais disso. Aliás, essa tem sido a minha oração.

Te amo muito. "Você quer se casar comigo?"

"Senhor... tome as rédeas de nossa vida e construa o seu querer em nós e através de nós! Para a sua glória e honra!"

Sacha, 09/02/2007

Foi lendo essa carta que aquele dia terminou para começar uma jornada diferente a partir de 16/06/2007, quando nos casamos. Deus escreveu uma história de amor que mostra o seu amor por nós. Foi usando erros, tristezas e nossa própria imaturidade que Deus se mostrou mais uma vez digno de confiança, conformando dois pecadores à imagem de Jesus. Foi ele quem construiu nossa história, por isso podemos dizer que vai ser ele quem irá mantê-la. Para a glória de seu nome!

Hoje, depois de um pouco mais de cinco anos, desfrutamos de um abençoado casamento e uma excelente amizade. Continuamos a crescer em mutualidade, aprendendo a orar um pelo outro, enquanto o amor de Deus sustenta a aliança que fizemos. Deus nos abençoou com um filho, Pedro, em 2009, e enquanto este livro é processado, aguardamos uma segunda criança. Nosso desejo é que os princípios aprendidos durante nossa história e registrados neste livro sejam uma bênção para nossos filhos, as próximas gerações e para você que deseja viver o plano de Deus para o casamento.

RESUMINDO

1. Submissão às autoridades que Deus colocou em nossas vidas nos ajuda a caminhar dentro da sua vontade.

2. Casamento une não somente o casal, mas suas famílias; ter o apoio de todos os membros das famílias envolvidas facilita em muito o futuro casamento.
3. O fundamento sólido de um relacionamento duradouro envolve uma amizade profunda.
4. Não existem "receitas" que garantam relacionamentos sem sofrimento. O relacionamento é o instrumento nas mãos de Deus para nos ensinar e nos conformar à imagem de Cristo.
5. Os princípios bíblicos para namoro, noivado e casamento são suficientes para nos nortear dentro da vontade de Deus.
6. Apesar das nossas falhas, a soberania e o amor de Deus trabalham para que seus filhos sejam conformados à imagem de Jesus, inclusive no namoro e noivado.

PARA DISCUSSÃO

1. Quais os princípios bíblicos para a construção de relacionamentos duradouros que você consegue detectar em cada uma dessas histórias?
2. Qual a importância de obedecer e honrar autoridades (pais e líderes espirituais) no processo de namoro?
3. Avalie essa declaração: "Case-se com seu melhor amigo se quiser um amigo para sempre!"
4. Qual o papel do romantismo e da criatividade no relacionamento a dois?

2. O PONTO DE PARTIDA

Você já pensou sobre como porcos-espinhos conseguem conviver em família? Não posso imaginar uma cena mais desagradável do que dois deles na mesma toca:

– Aiiii! Veja o que está fazendo!
– Não fui eu, foi você!
– Sai da frente, seu pontudo!

Infelizmente, no relacionamento entre pessoas imperfeitas, cada um traz consigo os "espinhos" do pecado.

O autor Dave Harvey concorda quando sugere que:

> O casamento é a união de duas pessoas que trazem consigo a bagagem da vida. Essa bagagem sempre contém pecado... A bagagem do pecado está sempre presente... Não devemos ignorar nosso pecado, pois ele é o contexto em que o evangelho brilha mais intensamente.[10]

---

[10] HARVEY, Dave. *Quando pecadores dizem "sim"*. São José dos Campos: Fiel, 2009, p. 13.

A bagagem do pecado não somente afeta o casamento, mas também o namoro e o noivado. Só não sentimos tanto porque muitas vezes a euforia dos hormônios consegue anestesiar as alfinetadas dadas por pessoas que às vezes se assemelham a porcos-espinhos.

Antes de tudo, neste livro, precisamos conversar sobre o pecado, pois o pecado destrói relacionamentos e o namoro e noivado são, antes de tudo, relacionamentos que unem dois pecadores.

O pecado constitui uma ofensa, primeiro contra Deus (Sl 51.4), mas também contra o próximo (Mt 5.23,24). Seres humanos em relacionamento são como porcos-espinhos na mesma toca — mais cedo ou mais tarde, alguém vai se machucar!

O pecado constitui o problema primordial em TODO relacionamento. Se não aprendermos a lidar com ele primeiro no sentido vertical, com Deus, e depois no sentido horizontal, com pessoas, nossos relacionamentos serão destinados ao fracasso. Precisamos descobrir a verdade que Thomas Watson declarou: "Enquanto o pecado não for amargo, Cristo não será doce."[11]

Por isso, precisamos aprender a lidar:

1. Com nosso pecado contra Deus.
2. Com nosso pecado contra nosso irmão.
3. Com o pecado do nosso irmão contra nós.

A única solução do problema do pecado é o perdão de Deus providenciado pela obra de Cristo na cruz.

NOSSO PECADO CONTRA DEUS

"Evangelho" é a palavra que resume a iniciativa que Deus tomou em Cristo para reconciliar o homem caído consigo mesmo.

---

[11] Thomas Watson, citado por Dave Harvey, p. 27.

O ponto de partida

"Evangelho" significa "boa nova" e descreve o que Deus fez por nós em Cristo Jesus. Ele, o Deus-Homem, pagou o preço de um sofrimento infinito na cruz pelo nosso pecado. *Aquele [Jesus] que não conheceu pecado, Deus o fez pecado por nós, para que nele fôssemos feitos justiça de Deus* (2Co 5.21; cf 1Co 15.4).

A morte inocente de Jesus na cruz satisfez a justa ira de Deus contra nós. Cabe a nós confiar única e exclusivamente em Cristo:

- *Mas agora, sem lei, se manifestou a justiça de Deus* (...) *mediante a fé em Jesus Cristo, para todos e sobre todos os que creem* (...) *sendo justificados gratuitamente por sua graça, mediante a redenção que há em Cristo Jesus* (Rm 3.21,22,24).

- *Mas Deus prova o seu próprio amor para conosco, pelo fato de ter Cristo morrido por nós, sendo nós ainda pecadores. Sendo justificados pelo seu sangue, seremos por ele salvos da ira* (Rm 5.8,9).

A ressurreição de Jesus "fechou o negócio" e mostrou que a sentença contra nosso pecado, carregado por Cristo na cruz, foi totalmente paga. Sua ressurreição prova que nenhum pecado ficou "pendente"! *Irmãos, venho lembrar-vos o evangelho que vos anunciei* (...) *que Cristo morreu pelos nossos pecados, segundo as Escrituras, e que foi sepultado, e ressuscitou ao terceiro dia, segundo as Escrituras* (1Co 15.1,3,4).

A nova vida em Cristo e o novo relacionamento com Deus começam quando obtemos pela fé essa paz com Deus: *Justificados, pois, mediante a fé, temos paz com Deus por meio de nosso Senhor Jesus Cristo* (Rm 5.1). *Mas a todos quantos o receberam, deu-lhes o poder de serem feitos filhos de Deus; a saber, aos que creem no seu nome* (Jo 1.12).

A fé salvadora em Cristo Jesus envolve três elementos:
1. Conhecer os fatos do evangelho (1Co 15.1-4 acima).
2. Afirmar a verdade do evangelho (Rm 10.9,10).
3. CONFIAR única e exclusivamente em Cristo para o perdão dos pecados, arrependendo-se deles e recebendo de Cristo uma nova vida de perdão.

O terceiro elemento, o da CONFIANÇA, é o que distingue uma "fé" intelectual de uma "fé" salvadora. Confiar em Cristo significa lançar toda a sua esperança de perdão e vida eterna sobre a Pessoa de Cristo, mais nada.

É como uma pessoa à beira de um grande abismo, que segura uma corda amarrada a uma árvore. Cristo é a ponte para o outro lado. Enquanto a pessoa segura a corda (das suas "boas obras", atos de caridade, frequência na igreja, batismo etc.) não há possibilidade de atravessar o abismo. É necessário soltar a corda (arrepender-se) e dar o primeiro passo sobre a ponte. Essa é a fé bíblica. "Fé" não é uma obra; é DEIXAR de trabalhar, de segurar a corda, na dependência de Cristo. Assim, Jesus recebe a honra devida ao seu nome:

> *Porque pela graça sois salvos, mediante a fé; e isto não vem de vós, é dom de Deus; não de obras, para que ninguém se glorie* (Ef 2.8,9).

Se você nunca reconheceu a profundidade do seu pecado e da sua alienação de Deus, nunca deu aquele primeiro passo de confiança somente em Cristo para o perdão dos pecados, nunca "soltou a corda" das suas boas obras, virou as costas para a velha vida a fim de seguir uma vida nova de dependência dele, esse é nosso maior desejo para você neste momento: *Crê no Senhor Jesus e serás salvo* (At 16.31).

Talvez você esteja pensando: "O que tudo isso tem a ver com namoro e noivado?" Primeiro, porque somente duas pessoas que compartilham dessa mesma fé, do mesmo Mestre e da mesma missão serão capazes de andar unidos pelo labirinto dessa vida: *Andarão dois juntos, se não houver entre eles acordo?* (Am 3.3). Segundo, as implicações do perdão de Deus que nos concede paz com ele são enormes para o relacionamento a dois, como veremos agora.

Nosso pecado contra o irmão

O perdão de Deus nos torna suficientemente seguros para pedir perdão quando pecamos contra o irmão, inclusive o namorado ou noivo! A falta de reconhecimento da miséria do nosso próprio coração faz com que "porcos-espinhos" se escondam um do outro, fingindo que não têm espinhos e que nunca machucaram seu amigo. Mas quando nos vemos como pecadores redimidos pela graça de Jesus podemos ser transparentes e vulneráveis em nossos relacionamentos, promovendo uma verdadeira intimidade raramente vista em casais hoje.

Então, a beleza de relacionamentos, especialmente o namoro, noivado e casamento, é a maneira como revelam as áreas na nossa vida que não parecem com Cristo! Relacionamentos próximos são como talhadeiras nas mãos de Deus. Quando o Espírito Santo, escultor por excelência, aplica o martelo da Palavra de Deus na talhadeira de relacionamentos, ele acaba tirando as "lascas do pecado" que ofuscam a imagem de Jesus. Infelizmente, cada batida da talhadeira dói, mas como vale a pena! Em vez de correr da dor, precisamos abraçá-la como instrumento da graça de Deus para nos fazer mais parecidos com Cristo.

O que fazer quando descobrimos que ofendemos nosso irmão? Engolir nosso orgulho, deixar de "fingir" religiosidade e PEDIR PERDÃO! Deus está mais interessado em RELACIONAMENTOS ACERTADOS do que em RELIGIÃO FINGIDA!

> *Portanto, se você estiver apresentando sua oferta diante do altar e ali se lembrar de que seu irmão tem algo contra você, deixe sua oferta ali, diante do altar, e vá primeiro reconciliar-se com seu irmão; depois volte e apresente sua oferta* (Mt 5.23,24).

Pedir perdão talvez seja uma das experiências mais humilhantes para o ser humano, mas é a única maneira de restaurar relacionamentos, e uma das primeiras e mais importantes habilidades que casais precisam aprender. Note que falamos em pedir PERDÃO e não DESCULPAS. "Desculpa" serve para acidentes, situações fora do nosso controle em que fizemos algo sem querer. É fácil e cômodo falar "desculpa". Mas dizer "me perdoe" nos coloca na posição de pecadores culpados.

O PECADO DO IRMÃO CONTRA NÓS

Pelo fato de pecadores pecarem, se não aprendermos a lidar com o pecado em nossos relacionamentos pela graça de Cristo, o futuro será um desastre. Por isso o conselho bíblico unânime de pedir e conceder perdão baseado no perdão que primeiro recebemos em Cristo:

> *Livrem-se de toda amargura, indignação e ira, gritaria e calúnia, bem como de toda maldade. Sejam bondosos e compassivos uns para com os outros, PERDOANDO-SE MUTUAMENTE, ASSIM COMO DEUS OS PERDOOU EM CRISTO* (Ef 4.31,32 – grifo do autor).

O ponto de partida

No evangelho de Mateus, Jesus fala muito sobre o perdão.[12] Mas o texto clássico encontra-se na parábola do servo malvado que não sabia perdoar (Mt 18.21-35). Todos nós precisamos manter essa história sempre em mente para nortear o perdão em nossos relacionamentos.

Na história, Pedro responde ao ensino no contexto anterior quando Jesus falou: *Se o seu irmão pecar contra você, vá e, a sós com ele, mostre-lhe o erro...* (Mt 18.15). Conforme a tradição dos rabinos da época, três vezes era o limite do perdão.[13] Mas Pedro dobra esse número e acrescenta mais um, para chegar ao número da perfeição, sete. Ele pergunta no versículo 21: *Senhor, quantas vezes deverei perdoar a meu irmão quando ele pecar contra mim? Até sete vezes?*

Mais uma vez Jesus surpreende seu discípulo impulsivo quando diz: *Não até sete, mas até setenta vezes sete* Ou seja, "Pedro, pare de contar! O meu padrão de perdão é sem limite!"

Para esclarecer, Jesus conta uma história (parábola). Na história, um servo que deve uma quantia enorme, de dez mil talentos, não tem como pagar sua dívida diante do rei. Trata-se de uma dívida impagável, de tamanho internacional. O "talento" era uma medida de peso e também monetária, normalmente expressa em metais preciosos como ouro ou prata, e que pesava entre 26 e 36 quilos. Se fosse prata, a dívida seria de pelo menos 260.000 quilos de prata, valendo hoje um pouco menos de um bilhão de reais ou quase quinhentos milhões de dólares! Para pagar uma dívida assim, o homem que ganhava um salário mínimo teria que poupar e pagar TODO seu salário durante mais de 100.000 anos (sem pensar em juros ou correção monetária)![14]

---

[12] Mateus 5.23,24; 6.12; 18.15-20.

[13] Foi baseado na sua interpretação de Amós 1 e 2 onde Deus repete várias vezes, *Por três transgressões de..., sim por quatro, não sustarei castigo.* Se o limite do perdão divino era três vezes, como para o homem podia ser mais?

[14] No livro de Ester, encontramos outro exemplo que ilustra quanto 10.000 talentos de PRATA representavam. O inimigo de Israel, Hamã, na época do exílio, ofereceu 10.000 talentos de prata ao rei pelo extermínio dos judeus (talvez dinheiro que seria recuperado pelo espólio tirado dos próprios judeus).

Mesmo assim, o homem ignorante que não conhece o tamanho de sua situação miserável, implora ao rei: *Tem paciência comigo, e eu te pagarei tudo* (Mt 18.26).

O rei gracioso e compassivo, além de demonstrar compreensão, perdoou o servo, movido pelo seu pedido por clemência. O servo não entendia o real tamanho da dívida e quanto o perdão custaria ao rei.

Diante de tamanho perdão, esperava-se uma alegria contagiante da parte do servo ao sair da presença do rei. Talvez uma festa com churrasco com todos os companheiros. Mas sua reação ilustra o que acontece em nossos relacionamentos quando, perdoados de uma dívida que não poderíamos sozinhos pagar, mas que foi paga pelo sangue do próprio filho do Rei, recusamos perdoar dívidas infinitamente menores dos nossos conservos.

Logo em seguida, o servo malvado encontra um colega que lhe devia cem denários, um valor razoável que representava 100 dias de trabalho de um diarista comum, digamos hoje algo em torno de R$5000, ou pouco menos de U$3000. A "ofensa" era real (se você me deve R$5000, pode acreditar que vou atrás!). Mas, à luz da dívida infinita já perdoada, a única resposta concebível seria perdoar o conservo! Mas em vez disso, o servo malvado estrangula seu companheiro e o lança na cadeia (Mt 18.30).

Quando o rei descobre o ocorrido, lança o próprio servo na cadeia para pagar *tudo o que devia* (18.34). Parece que o rei, que representa Deus na história, retirou o perdão já concedido. Mas alguns detalhes despercebidos no texto sugerem outra interpretação.

Primeiro, o rei nunca volta atrás no perdão oferecido: *Servo mal, cancelei toda a sua dívida porque você me implorou. Você não devia ter tido misericórdia do seu conservo como eu tive de você?* (18.32,33). Em outras palavras, existe a grande possibilidade de que o servo "perdoado" nunca realmente abraçou o perdão, especialmente pelo fato de que exigiu o pagamento do seu colega, talvez pelo medo de ser cobrado por sua dívida novamente. Não confiava no caráter do rei ao ponto de realmente abraçar o perdão.

Mas existe outro detalhe e possibilidade de interpretação no texto. O servo mal seria lançado na cadeia ATÉ QUE PAGASSE A DÍVIDA. Mas qual era sua dívida agora diante do rei? O texto já respondeu: *Não DEVIA ter tido misericórdia do seu conservo?* (Grifo do autor). Em outras palavras, a única dívida que resta para os perdoados é... PERDOAR!

O que acontece quando porcos-espinhos pecadores não vivem a realidade do perdão? Eles mesmos sofrem a prisão e a tortura da sua falta de perdão. Como um sábio comentou: "guardar mágoas é como tomar veneno... e esperar que seu inimigo morra."

A moral da história fica clara: Grande graça requer grande graciosidade. Somente os perdoados conseguem perdoar. Perdão é a dívida que os perdoados têm para com outros pecadores!

Thomas Watson tinha razão: "Enquanto o pecado não for amargo, Cristo não será doce." Mas quando a doçura do perdão de Cristo invade nossa vida, espalha-se para todos os nossos relacionamentos, inclusive o namoro, noivado e casamento. *Perdoando-nos uns aos outros, como também Deus em Cristo nos perdoou!*

RESUMINDO

1. O pecado destrói relacionamentos e não será diferente no namoro, noivado e casamento.
2. As boas novas do evangelho em Cristo Jesus oferecem perdão ilimitado pelo nosso pecado baseado no sacrifício de Cristo na cruz e na sua ressurreição dos mortos.
3. Para ser salvo é necessário conhecer os fatos do evangelho, afirmar sua verdade e confiar única e exclusivamente em Cristo para o perdão dos pecados.
4. O perdão que recebemos de Cristo manifesta-se no perdão que oferecemos em todos os outros relacionamentos.
5. Grande graça requer grande graciosidade! "Enquanto o pecado não for amargo, Cristo não será doce."

PARA DISCUSSÃO

1. Por que um compromisso com o evangelho constitui o ponto de partida para relacionamentos saudáveis?
2. Você concorda ou discorda com a declaração: "Enquanto o pecado não for amargo, Cristo não será doce"? O que significa? Como afeta relacionamentos?
3. À luz deste capítulo e do ensino bíblico sobre perdão, quais são algumas das implicações do evangelho para relacionamentos de namoro, noivado e casamento?
4. Por que temos tanta dificuldade em pedir perdão?
5. Avalie a declaração: "A única dívida que resta para o pecador perdoado é... perdoar!"

3. UM PARA O OUTRO E AMBOS PARA DEUS: O DESAFIO DO NAMORO COM PROPÓSITO

Um pôster de uma maratonista vem acompanhado de uma legenda que diz: "Estou fazendo de tudo para prolongar minha vida, na esperança de que, algum dia, alguém me dirá por quê." Vivemos dias em que muitos perderam o foco da vida, sua razão de viver. Mesmo assim, continuam desesperadamente tentando prolongar a vida. Uma reportagem da *Veja* intitulada *Gelado, mas Rico* fala da Ciência da Criogenia em que ricos pagam até US$ 165.000 para congelar seus corpos depois da morte, na esperança de serem ressuscitados depois que a cura for achada.[15]

Nos últimos anos temos visto uma onda de interesse por livros que sugerem propósitos, os quais são vendidos aos milhões, fato que reflete uma ansiedade do coração humano: "Qual o propósito da minha vida"?

Por que esse interesse? Talvez pelas crises existenciais de uma geração pós-moderna que, sem absolutos, sem restrições, sem autoridade em sua vida, também vive sem rumo, sem direção. É o

---

[15] COSTAS, Ruth. Gelado, mas Rico; Veja, 1 de fevereiro de 2006, p. 64.

produto lógico de uma vida em que Deus foi excluído. É interessante notar que o índice de suicídio é mais alto justamente nos países ateus do chamado primeiro mundo. Sem Deus, é impossível ter uma vida com significado final. Se eu sou o produto do tempo e do "acaso", se a única razão da minha existência é a sobrevivência da minha espécie, dentro de um processo evolucionário impessoal, o que adianta?

Infelizmente, muitos cristãos também perderam o rumo de suas vidas. Vemos crentes sem direção, sem propósito, sem razão para acordar na segunda-feira, como se o fim principal de sua vida fosse alcançar o próximo nível no mais novo jogo de videogame. Passam pelas rotinas da vida, nos ciclos viciosos, sem um senso de propósito maior. Chegam à metade de suas vidas (na infame crise de meia-idade) e perguntam, "O que estou fazendo com minha vida? Por que estou aqui?" Alguns terminam suas vidas olhando para trás e indagando, "O que fiz com minha vida? Será que minha vida fez alguma diferença? Será que algo que fiz continuará depois de mim?"

Muitas pessoas terminam a vida tendo subido a escada da profissão, de posses, de poder na sociedade, só para descobrir que subiram a escada errada. A HORA CERTA PARA AVALIAR O PROPÓSITO DA SUA VIDA NÃO É NA MEIA-IDADE OU NO FIM DA VIDA, MAS, SIM, NA JUVENTUDE, como diz o Pregador em Eclesiastes 12.1: *Lembra-se do seu Criador nos dias da sua mocidade.*

O FIM PRINCIPAL DO HOMEM

Será que foi essa dúvida que levou os homens que prepararam o Catequismo de Westminster a começar com uma declaração sobre o propósito do homem?

PERGUNTA: Qual é o fim principal do homem?

RESPOSTA. O fim principal do homem é glorificar a Deus, e gozá-lo para sempre.

Mas essa declaração é muito genérica. O que significa na prática? COMO glorificar a Deus no dia a dia?

Graças a Deus, e não por acaso, o primeiro capítulo da Bíblia já responde essa que é uma das perguntas mais importantes para o ser humano. Qual o meu propósito de vida? Qual a razão da minha existência? Por que estou aqui? Junto com essas perguntas, mais duas relacionadas ao tema deste livro: Por que Deus criou a família? Quais as implicações para o namoro, noivado e casamento?

Um dos pressupostos deste livro é que todo e qualquer problema começa na esfera do coração, numa batalha de lealdade pela adoração exclusiva a Deus. Portanto, faz-se necessário definir conceitos importantes na discussão: o real propósito da humanidade, em geral, e do relacionamento entre os sexos, em particular. O que norteará nosso estudo é o lema que alguns dos nossos familiares (pais e filhos!) têm gravado em suas alianças de casamento:

"UM PARA O OUTRO, AMBOS PARA DEUS"

Esse parece ser um ótimo resumo de como Deus encara o relacionamento conjugal, um prédio que será construído a partir do namoro, "um tijolo de cada vez". Um relacionamento em que a vida outrocêntrica de Cristo será manifestada ("um para o outro") e em que os dois trabalharão juntos em prol da glória de Deus ("ambos para Deus").

PROPÓSITOS DIVINOS PARA O CASAL

E quando tratamos dos propósitos específicos pelos quais Deus criou o casal? Qual o propósito do relacionamento entre homem e mulher? A resposta está no primeiro e segundo capítulos da Bíblia. Em Gênesis descobrimos que Deus criou o homem como reflexo do seu ser, com o propósito de manifestar, curtir e adorar sua glória. Em Gênesis 1.26-28 encontramos três propósitos específicos para nossa existência em termos da glória de Deus.

Podemos dizer que a nossa "Missão" desde o princípio foi:

1. REFLETIR (espelhar) a imagem de Deus (1.26,27)
2. REPRODUZIR (espalhar) a imagem de Deus (1.28a)
3. REPRESENTAR a imagem (Reino) de Deus (1.28b)

PROPÓSITO FINAL DO NAMORO

Ao contrário do que muitos acreditam, o propósito final do namoro não é o casamento. Muitos namoros são mal conduzidos porque os namorados ainda não entendem o propósito final da humanidade e o impacto que essa realidade tem na vida dos próprios namorados. A história da criação tem muito a contar no que se refere ao propósito final do homem e seu impacto dentro do processo do namoro.

No projeto original da criação, o homem é o representante perfeito da imagem de Deus e conforme a sua semelhança. E essa representação acontece no nível funcional, quando o homem exerce domínio sobre a criação.

Se esse é o propósito maior da humanidade, cada ser humano tem a responsabilidade de viver refletindo essa realidade. Isso tem implicações em cada uma das áreas da vida, inclusive no namoro.

Um namoro de acordo com a vontade de Deus deve representar o Deus invisível de forma visível, independentemente de terminar em casamento ou não. Os desdobramentos dessa realidade atingem a santidade dos namorados e devem promover um andar mais próximo com Deus como indicado no Salmo 119.1-2: *Como são felizes os que andam em caminhos irrepreensíveis, que vivem conforme a lei do SENHOR! Como são felizes os que obedecem aos seus estatutos e de todo o coração o buscam!*

MAIS IMPORTANTE QUE O NAMORO

Portanto, a decisão mais importante que qualquer namorado deve tomar é representar e adorar a Cristo. Deus criou o homem para representá-lo (Gn 1.26, 27; 2Co 5.20) e adorá-lo de todo o coração (Rm 1.25; Cl 1.13-18). Por natureza, o ser humano é um adorador, no entanto, nem sempre ele adora a Deus dessa forma. O pecado entrou na humanidade para manchar a representatividade divina na vida dos homens e a adoração ao seu nome de forma exclusiva (Gn 3.1-7). Na busca por satisfação em qualquer outro lugar que não em Deus, o homem busca por substitutos que prometem satisfação. Esses são os ídolos do coração (Ez 14.1-6).[16]

NÃO É BOM...

Para cumprir sua missão, o homem, sozinho, não era capaz. Por isso Gênesis 2.18 diz: *Não é bom que o homem esteja só; far-lhe-ei uma auxiliadora que lhe seja idônea.* Em outras palavras, a única coisa que não funcionava direito em toda a criação era a solteirice do homem. Sozinho ele não refletia a beleza e o mistério da imagem do Deus trino, pela unidade em diversidade. Por isso Deus criou a mulher, e os dois se tornaram uma só carne (Gn 2.24). O homem não era capaz de encher a terra com novos adoradores, por isso precisava da esposa para cumprir a missão. Faltava-lhe o "toque feminino" para representar o reino de Deus no jardim, por isso Deus fez uma auxiliadora idônea, ou seja, um refúgio, um socorro, um amparo, alguém como o próprio Deus, para completar o que ainda faltava no homem! Sem a esposa, o homem não tinha condições de cumprir alguns aspectos da missão de Deus para a humanidade.

---

[16] Os ídolos do coração não foram apontados na vida dos pagãos do tempo de Ezequiel, mas na vida de autoridades religiosas (Ez 14.1-3). Fica claro que Deus estava interessado nos corações (Ez 14.5). Não eram ídolos feitos de barro ou madeira, mas figuras intangíveis dentro do coração humano (Ez 14.3). A consequência dessa adoração equivocada era o trato divino conforme a idolatria (Ez 14.4, 7-8), ou seja, Deus permite que o coração idólatra sofra as consequências de sua própria idolatria (cf. Rm 1.18-32).

O PRIMEIRO MANDAMENTO

A primeira ordem da Bíblia, a primeira forma da Grande Comissão, está em Gênesis 1.28: *Multiplicai-vos, enchei a terra, e dominai-a!* O coração missionário de Deus manifesta-se desde o princípio na família!

No início, o plano de Deus para encher a terra com sua glória teria acontecido naturalmente, a partir da família. Hoje, por causa dos efeitos da queda, tanto o casal, como seus filhos, representam imagens distorcidas, ou seja, espelhos quebrados (Pv 22.15; cf. Sl 51.5). O resgate da imagem de Deus hoje começa com "missões" em casa – o discipulado conjugal e a evangelização e discipulado dos filhos. Mas o alvo de alcançar as nações continua, pois a igreja representa a família de Deus chamada para alcançar todos os povos. A Grande Comissão para a família que apareceu em Gênesis 1.28 estende-se hoje para a família chamada "igreja" em Mateus 28.18-20: *Ide, fazei discípulos de todas as nações...*

Não faz sentido congelar nossos corpos na esperança de um dia prolongar nossas vidas, quando não sabemos qual a nossa razão de existir. Graças a Deus, quando se trata de relacionamentos "um para o outro e ambos para Deus", encontramos a razão de viver.

RESUMINDO

1. A hora certa para avaliar o propósito da sua vida não é na meia-idade ou no fim da vida, mas, sim, na juventude.
2. Todo e qualquer problema de pecado começa na esfera do coração, numa batalha de lealdade pela adoração exclusiva a Deus.
3. O propósito final do namoro e noivado não é o casamento, mas a glória de Deus!
4. Deus fez o homem e o casal para refletir, reproduzir e representar sua imagem e Reino aqui na Terra.
5. Deus criou a mulher como complemento para o homem

para que ambos cumprissem suas ordens para a glória dele.

PARA DISCUSSÃO

1. Por que é tão importante definir o propósito da sua vida ANTES de namorar?
2. Avalie o "lema do casamento" citado acima: "Um para o outro, ambos para Deus". É correto? Como essa ideia pode impactar um namoro? Como o casal vive a segunda parte do lema: ambos para Deus?
3. Se a vida de Cristo é uma vida "outrocêntrica", como um casal de namorados deve usar seu relacionamento para servir outros e não somente a si mesmos?
4. Como o conteúdo deste capítulo muda sua forma de pensar sobre namoro?
5. Como um namoro que visa única e exclusivamente à glória de Deus será diferente dos demais?
6. Avalie essa declaração: "Um namoro de acordo com a vontade de Deus deve representar o Deus invisível de forma visível."

4. ESPELHANDO A GLÓRIA DE DEUS

Hoje muitas pessoas oram por um reavivamento geral da igreja, no Brasil e no mundo. Mas será que estão olhando para o lugar certo? O verdadeiro reavivamento há de começar justamente no lugar onde Satanás concentra seus maiores ataques hoje: o lar. Baseamos essa convicção no fato de o apóstolo Paulo descrever as principais evidências de um "reavivamento" (a plenitude do Espírito) como acontecendo no contexto do lar (Ef 5.18-6.9). Para um reavivamento verdadeiro, teremos que começar com a primeira instituição social, a família.

"A família está morta" dizem alguns. Mas apesar das estatísticas, apesar das crises, apesar de tudo que ouvimos ao contrário, Deus ainda não assinou o óbito familiar. O plano que ele programou no jardim do Éden, e que foi resgatado na cruz do Calvário, continua em pé hoje. Mas precisamos renovar uma perspectiva realmente bíblica do propósito de Deus para a família se quisermos ver um reavivamento em nossos dias.

Como já vimos, dos muitos propósitos que poderíamos alistar para a existência do homem, três englobam a maioria dos demais. Sem sabermos o porquê da raça humana em geral, e da família em particular, dificilmente vamos acertar no "o quê" e "como" de relacionamentos anteriores, como amizade, namoro e noivado.

A FAMÍLIA EXISTE PARA REFLETIR (ESPELHAR) A IMAGEM DE DEUS

Deus criou o homem e a mulher cada um à sua imagem. Refletem a Pessoa de Deus como indivíduos (por exemplo, personalidade, intelecto, emoção, vontade, espírito etc). Mas Deus também criou **os dois** à imagem dele: *Criou Deus, pois, o homem à sua imagem, à imagem de Deus o criou;* **homem e mulher os criou** (Gn 1.27 – grifo do autor).

UNIDADE NA DIVERSIDADE

A frase: *Homem e mulher os criou* (à imagem de Deus) significa que o casal revela aspectos profundos sobre a Pessoa de Deus. Vemos essa ideia mais nitidamente quando notamos o contexto. Pela primeira e única vez na narrativa da criação, o "santo plural" entrou na história em Gênesis 1.26: **Façamos** *o homem à* ***nossa*** *imagem, conforme a* ***nossa*** *semelhança...* (Grifos do autor). A seriedade da criação do homem é refletida pelo conselho deliberativo da própria Trindade no sexto dia da criação. Não é por acaso, então, que o próximo versículo inclui as ideias de unidade e pluralidade como expressão da imagem de Deus! Este foi o primeiro propósito de Deus para a união conjugal, e revela a centralidade do relacionamento marido-esposa no plano de Deus.

A verdade mais importante sobre a humanidade é que ela é imagem de Deus! Essa é a glória do ser humano! Também aponta para o paradoxo do ateísmo – o homem que afirma que não há Deus acaba negando justamente a base da sua existência e o que define o valor do seu ser. Esse é o produto que vemos na realidade cruel de teorias ateias que desvalorizam a vida humana: aborto, eutanásia, desespero, vida sem propósito. Na tentativa de afirmar sua grandeza, o ateu anula seu ser (veja Sl 8.4-8).

Como já vimos, o primeiro e principal propósito tanto para o homem como para a mulher foi refletir aspectos da imagem de Deus que outros elementos da criação não podiam refletir.

Além de intelecto, emoção, vontade, raciocínio existem aspectos da Trindade que somente se espelham em comunidade íntima.

Unidade na diversidade, amor, comunicação interpessoal, aliança, fidelidade e muito mais são características da *imago dei* (*imagem de Deus*), que montanhas, galáxias, pássaros, peixes, frutos e flores não manifestam.

ESTÁ EM FALTA

É interessante notar (como veremos mais adiante) que a única vez que Deus declarou que algo NÃO era bom na criação original foi depois que ele fez o homem, sozinho. *Não era bom* (Gn 2.18) não significa que havia imperfeição, pecado ou erro no *design* divino, mas que algo estava FALTANDO. Em outras palavras, ainda faltava a união complementar de homem e mulher no contexto de comunhão e companheirismo íntimos para a glória de Deus. Foi somente depois da criação da mulher como complemento do homem que Deus declarou que era MUITO bom (Gn 1.31).

O relacionamento entre os sexos, inclusive a partir do namoro, deve ser protegido a qualquer custo, porque reflete verdades teológicas profundíssimas! O relacionamento conjugal será uma miniatura do relacionamento que existe entre a Trindade! O relacionamento interpessoal do casal é um testemunho em si de um aspecto da natureza de Deus.

O mistério é grande, mas no casamento dois se tornam um, refletindo, mesmo que de forma limitada, o que acontece na Trindade – três são um. Há diferença, mas ao mesmo tempo identidade, com unidade de propósito. Unidade na diversidade, existindo lado a lado numa harmonia perfeita: este foi o propósito original para o homem, a mulher e o casamento. Esse princípio norteador pode orientar casais de namorados que querem caminhar dentro do propósito divino para seu relacionamento. Mas como?

Em primeiro lugar, o casal precisa valorizar as diferenças entre si num relacionamento harmonioso. O casal reflete unidade na diversidade, assim como vemos na Santa Trindade, onde há três pessoas distintas, com funções diferentes, mas com harmonia total. Acredite, você não quer casar com alguém igual a você!

Em segundo lugar, o casal reflete a imagem de Deus quando desenvolve atributos "comunicáveis" e relacionais de Deus, como amor incondicional, bondade, longanimidade e misericórdia. Essas qualidades requerem comunidade, a começar com o casal.

Em terceiro lugar, relacionamentos de namoro e noivado devem ser protegidos contra intimidades físicas que Deus reservou para a união conjugal (Hb 13.4). "O que Deus não ajuntou, não junte o homem". Intimidade precoce suja a imagem de Deus no casal antes de ser completamente formada. A imagem de Deus no casal é formada através da aliança conjugal.

Infelizmente o pecado estragou a festa. Desde a queda, a imagem de Deus no ser humano foi ofuscada (não apagada! Veja Gênesis 9.1ss). O pecado injetou conflito no relacionamento antes harmonioso do casal, que não mais reflete tão claramente a imagem de Deus. Surgiram acusação e atrito no lugar de amor e perdão.

Por isso a imagem de Deus precisava ser resgatada, conforme a promessa que ele fizera no próprio jardim (Gn 3.15). Jesus pagou o preço do resgate com seu sangue, para que o homem em Cristo fosse "nova criatura (imagem)" (2Co 5.17). Agora, em Cristo, o casal pode novamente refletir a imagem de Deus na Terra. Ainda não o faz de forma perfeita, pois não existem casais perfeitos, somente casais perdoados e perdoadores.

GRANDE É ESSE MISTÉRIO!

Além de refletir a imagem da Trindade, o apóstolo Paulo aumenta ainda mais o significado do relacionamento conjugal como um "reflexo". Depois de instruir os leitores sobre a plenitude (controle) do Espírito Santo, mostra as evidências principais dessa vida resgatada por Jesus que se manifestam justamente no lar, e especialmente nos papéis de marido e esposa (Ef 5.18-33).

No final da conversa, o resgate da imagem de Deus se vê em mulheres respeitosamente submissas a seus próprios maridos, e homens como líderes amorosos. Paulo faz esse resumo: *Grande é este mistério, mas eu me refiro a Cristo e à igreja* (5.32). Em outras palavras, o propósito final da instrução sobre o lar não é somente o lar em si, mas aquilo que o lar redimido por Jesus representa, que é Cristo e seu relacionamento com a igreja! Por isso protegemos o relacionamento a dois! É um reflexo não somente da glória da Trindade, mas também do amor fiel entre Jesus e sua noiva, a igreja.

SEM SOMBRA DE DÚVIDA

Certa feita alguém observou com muita propriedade: "A Bíblia começa e termina com um casamento". O casamento não é um fim em si, muito menos o namoro. O casamento é uma instituição temporária, que serve como sombra de realidades maiores e melhores. Por isso Jesus esclareceu que, no céu, não haverá mais casamentos (Mt 22.29-30). Depois do casamento de Jesus com sua noiva, a igreja, não haverá mais necessidade da ilustração (casamento terrestre), pois estaremos vivendo a realidade (casamento celestial).

Em Gênesis, os primeiros capítulos focalizam a glória da imagem de Deus refletida na criação e no casamento de "homem e mulher", dois em um refletindo Três em Um. No livro de Apocalipse, encontramos as "Bodas do Cordeiro", o casamento entre Jesus e a igreja (19.7-10; 21.1-3, 9-11). No período entre os dois livros, o casamento humano serve como reflexo das duas realidades. TODO CASAMENTO, MESMO IMPERFEITO, TEM ESSE PODER REFLETIVO E PRECISA SER CUIDADOSAMENTE PROTEGIDO. Essa proteção, seriedade e cuidado deve começar no período que conhecemos como "namoro" e até mesmo ANTES. Nossa proposta é que esses princípios sirvam para nortear nossos relacionamentos em direção ao alvo – a glória de Deus refletida em relacionamentos saudáveis.

Apesar de todas as crises familiares em nossos dias, a família não está morta. Mas para não morrer, a família precisa voltar à sua primeira razão de existir: espelhar a imagem de Deus. O relacionamento entre homem e mulher é algo santo e precioso aos olhos de Deus, e precisa ser protegido a qualquer custo, pois revela Deus para o mundo.

RESUMINDO

1. A verdade mais importante sobre a humanidade é que ela foi feita à imagem de Deus!

2. Deus criou o casal, assim como cada indivíduo, como reflexo de aspectos do seu ser, especificamente, características da Trindade que somente são vistas em comunidade.

3. O relacionamento entre os sexos deve ser protegido a qualquer custo, porque reflete verdades teológicas profundas.

4. O pecado estragou a beleza do reflexo da glória de Deus no relacionamento a dois, que somente pode ser resgatado em Cristo.

5. O casamento é um reflexo também do amor fiel entre Jesus e sua noiva, a igreja.

PARA DISCUSSÃO

1. Quais são os aspectos da imagem de Deus que o casal consegue refletir melhor que o indivíduo? Quais as implicações disso em termos do relacionamento entre eles?

2. Você concorda ou discorda desta declaração: "A verdade mais importante sobre o homem é que ele é imagem de Deus!"

3. Como o casal reflete o "mistério" de Cristo e sua Igreja? Quais os paralelos listados por Paulo em Efésios 5.22-33?

4. Como um casal de namorados pode proteger a imagem de Deus e o reflexo do relacionamento entre Cristo e a igreja em seu relacionamento?

5. ESPALHANDO A GLÓRIA DE DEUS

A Bíblia diz: *Sejam férteis e multipliquem-se. Encham e subjuguem a terra* (Gn 1.28). Alguns no decorrer da história seguiram a ordem ao pé da letra. Veja esses exemplos:

- Feodor Vassilyev e sua primeira esposa (nome desconhecido) têm o recorde do maior número de filhos. Nasceram-lhes 69 filhos: 16 pares de gêmeos, 7 partos de trigêmeos e 4 de quadrigêmeos, entre 1725 e 1765, um total de 27 gestações. Dizem que 67 dos 69 filhos sobreviveram à infância.[17]

- Nos dias atuais, muitos têm ouvido a história de Jim e Michelle Duggar, que tiveram 19 filhos e perderam o vigésimo num aborto espontâneo em 2011. Muitos norte-americanos fascinados com a história têm acompanhado as suas vidas num *reality show*, 19 Kids and Counting (19 filhos e contando...).

- Nadya Suleman é mãe de óctuplos que sobreviveram. No dia 26 de janeiro 2009 nasceram-lhe seis meninos

---

[17] CLAY, Marie M. *Quadruplets and higher multiple births.*; Mac Keith Press, London, 1989. Feodor Vassilyev: a case of remarkable fecundity. pp. 96–97. Mark C. Young. The Guinness Book of World Records 1998. Bantam Books, 1998.p. 357

e duas meninas no Kaiser Permanente Medical Center, Bellflower, Califórnia, EUA. As crianças foram concebidas através de fertilização in vitro e juntaram-se aos seus 6 outros irmãos para um total de 14 filhos.[18]

- Viktor e Aneta Urich de Grande Prairie, Alberta, Canadá, receberam a notícia da chegada do seu centésimo neto em dezembro, 2011. O casal tem 16 filhos. Seu filho mais velho tem 9 filhos com menos de 12 anos.

- Relatórios das Ilhas Filipinas afirmam que Bai Ulan, uma viúva, tem 107 netos, 138 bisnetos e 2 tataranetos.[19]

- Finalmente, é relatado que o Sultão Ismail Ibn Sharif gerou com múltiplas esposas e concubinas não menos de 867 filhos: 525 meninos e 342 meninas.[20]

O casal de namorados não precisa se assustar pensando que esse deve ser seu futuro. Mas deve entender que o segundo propósito que Deus tem para o casal nos faz *erguer os olhos, para ver os campos já brancos para a ceifa*. **O casal existe não somente para espelhar a glória de Deus, mas para ESPALHAR sua glória e seu Reino.** O casal de namorados precisa fixar bem em sua mente que o propósito do seu relacionamento tem dimensões globais!

IMPULSO MISSIONÁRIO

Além de declarar como "MUITO bom" a criação do casal, a próxima frase acrescenta: E *Deus os abençoou*.[21]

---

[18] http://pt.wikipedia.org/wiki/%C3%93ctuplos_de_Nadya_Suleman. Acesso: 11 de janeiro de 2012.

[19] http://abcnews.go.com/blogs/health/2011/12/30/canadian-couple-welcomes-100th--grandchild/. Acesso: 11 de janeiro de 2012

[20] Guinness World Records. Guinness World Records Limited. March 3, 2008.

[21] Note que a conjunção "e" (que não aparece em algumas versões) indica essa ligação entre Gênesis 1.27 e 28. O fato de que o casal deveria "multiplicar-se" confirma a interpretação de que Gênesis 1.27, "homem e mulher" refere-se ao casamento e à família.

A bênção do Senhor vem acompanhada por uma ordem: Multiplicar-se e encher a terra. Esse é o propósito missionário para o qual Deus criou o homem, e a primeira forma da GRANDE COMISSÃO que encontramos na Bíblia. Missões significam levantar adoradores de Deus, reflexos da sua imagem, em todo canto do planeta! Missões significam que a glória de Deus será apreciada, refletida, difundida por cada cultura, cada raça, língua e nação. Cada um reflete um pouco mais a cor, um pouco mais a beleza do brilhante da glória de Deus.

O processo começa na minha casa, a expansão NATURAL do Reino de Deus, mas estende-se para os confins da terra, a expansão SOBRENATURAL do Reino de Deus, ou seja, missionária.

Deus desejava um universo cheio de homens e mulheres, reflexos da sua glória, adoradores em comunhão com ele, desfrutando da sua majestade, imitando seus atributos. Esse foi o propósito original para o homem e para o casal.

A união sexual do homem com a mulher levaria à multiplicação da imagem de Deus, a fim de que ele tivesse seu testemunho refletido em todo lugar, através dos seus vice-regentes enviados para subjugar a terra. Assim, a família existe para estender o testemunho de Deus e o Reino de Deus até aos confins do globo. Desta forma, a glória de Deus seria vista em toda a terra.

CENTRO DE MISSÕES?

O segundo grande propósito de Deus para relacionamentos que culminam em casamento coloca o casal como um "centro de missões" (e não um campo missionário!). Infelizmente, muitas pessoas não têm esta perspectiva exaltada da importância do casal no plano de Deus. Para algumas, o relacionamento conjugal não passa de uma conveniência: alguém lava minha roupa, prepara meu almoço, divide as despesas comigo, concerta a pia e dorme ao meu lado. Para outras, uma aflição a ser suportada.

E é preciso coragem para criar os filhos! Até alguns ministros encaram a família como um empecilho que frustra sua realização na "obra de Deus".

Mas a família é muito mais que isso. A família é nosso maior recurso natural para alcançar o mundo. A família existe para produzir uma herança piedosa na terra, e já é um meio ideal para evangelizar e discipular o mundo. E sempre foi assim. Desde Adão e Eva, Deus tem usado famílias para alcançar o mundo. Como já vimos, o primeiro casal recebeu a "comissão" de encher a terra com novas imagens para a glória de Deus. Anos depois da queda, Noé recebeu exatamente a mesma ordem, sem dúvida mais difícil depois da queda, mas a mesma ordem (Gn 9.1). Abraão, o "pai de muitas nações", foi escolhido para que sua família fosse uma bênção trazendo salvação às nações. E o próprio Senhor Jesus veio morar em família na Terra.

Com seu potencial incrível de alcançar pessoas, o casal se torna um centro de círculos concêntricos de ministério que visam alcançar o mundo. Esses ministérios começam a ser desenvolvidos no namoro e noivado, mas culminam no casamento.

1. O ministério do casal começa com o ministério entre homem e mulher (Gn 2.15-24). Antes de ministrar para o mundo, Deus chama o casal para ministrar um para o outro. Em Gênesis lemos que, quando Deus criou o homem, *não era bom que o homem estivesse só* (Gn 2. 18). Deus criou a mulher justamente para completar o que faltava no homem, e vice-versa. O ministério marido-esposa e esposa-marido acontece pelo fato de Deus criar a mulher como "auxiliadora idônea".

Muitas ideias errôneas existem sobre a frase "auxiliadora idônea", como se a mulher fosse uma empregada doméstica. Nada podia ser mais longe da verdade. A palavra "auxiliadora" foi usada no Antigo Testamento somente em referência à mulher (Gn 2.15, 20) e a Deus (muitos textos). Quando o termo se refere a Deus, a tradução normal é "socorro, auxílio, amparo". Em outras palavras, Deus colocou alguém semelhante a ele ao lado do homem para "socorrer o homem" (não para ser pisada por ele!).[22] O termo "idônea" literalmente significa "conforme o oposto". A mulher corresponde ao homem e por isso pode ter comunhão com ele, mas ela também é diferente, com dons, talentos, perspectivas e ideais que completam o que falta no homem. Obviamente o oposto é verdade também: o homem é o que a mulher não é. Como já vimos, esta "unidade na diversidade" é o brilho do casamento. Em vez de competir, o casal deve completar um ao outro. Em vez de tentar criar o outro à nossa própria imagem, devemos apreciar as diferenças entre nós. Em vez de diminuir as diferenças entre os sexos (nas modas de roupa, "jeitão" de ser etc.) devemos valorizá-las. Cada casal deve estabelecer a prioridade de ministrar um para o outro conforme o plano original de Deus e coerente com os papéis esboçados pelo apóstolo Paulo em Efésios 5.22-23. O ministério de alcançar o mundo começa bem no relacionamento homem-mulher.

2. O ministério do casal visa alcançar o mundo. Assim como a família sempre foi usada por Deus para executar seu plano na terra, o casal continua sendo grande "centro de missões". Mas como?

Primeiro, a família prepara filhos para alcançar o mundo. O preparo destas "flechas" que Deus coloca "nas mãos do guerreiro" (Sl 127.4) visa afiá-las e lançá-las para penetrar o coração do mundo. Parte do propósito do namoro e noivado é preparar o casal com uma visão de usar sua futura família e a criação dos seus filhos como "agentes especiais" para alcançar o mundo com a glória de Deus.

---

[22] A ideia de auxiliadora "idônea" é de alguém "conforme seu oposto" ou seja, complementar. Quando Adão deu nome aos animais, ele certamente se tornou ciente da falta de uma companheira. Interessantemente, esse mandato antes da queda não "subjugou" a mulher ao homem. A palavra "auxiliadora" não é um termo de menosprezo. Foi usado somente para a mulher (Gn 2.18,20) e para Deus no AT, sempre com conotação muito positiva. "Das 21 vezes que o termo aparece no Antigo Testamento, quinze descrevem Deus como o 'auxílio' de pessoas em tempos de necessidade" (Maldonado 1996, 48; cf. BDB 740). Veja como o termo foi usado em relação a Deus nos textos a seguir: Salmos 33.20; 70.5; 115.9,11; 121.1,2 e 146.5; Deuteronômio 33.26,29; Êxodo 18.4 e Oséias 13.9.

Segundo, o exemplo do casal chama a atenção do mundo. Nestes dias de caos em relacionamentos entre os sexos, um casal com relacionamento puro, "outrocêntrico" e focado na glória de Deus acima do prazer egoísta chama muita atenção. "Por que vocês são diferentes?" é uma pergunta que abre a porta para o evangelho (1Pe 3.15).

Terceiro, o casal pode desenvolver esse propósito "global" ministrando juntos, contribuindo para a obra do Senhor, apoiando a igreja local, fazendo viagens missionárias, desenvolvendo projetos especiais (programas evangelísticos, EBF etc.) sustentando missionários, orando pelo mundo e muito mais. O hábito saudável de um relacionamento que existe para servir manifesta a vida de Cristo e a glória de Deus.

Não é necessário ter quinze filhos para cumprir a primeira ordem da Bíblia de multiplicar-se e encher a terra. Mas os namorados e noivos precisam considerar seu lugar na seara do Senhor, e verificar que suas vidas contribuam para a expansão do Reino de Deus através de adoradores em Espírito e em verdade.

RESUMINDO

1. O casal existe não somente para espelhar a glória de Deus, mas para espalhar seu Reino.
2. A família é o nosso maior recurso para alcançar o mundo e por isso deve ser cuidadosamente planejada.
3. "Unidade na diversidade" é o brilho do relacionamento a dois que culmina em casamento.
4. Complementação mútua dentro dos respectivos papéis dados por Deus reflete a glória de Deus.
5. O relacionamento a dois não é um fim em si, mas existe como instrumento usado por Deus para alcançar o mundo.

PARA DISCUSSÃO

1. Em que sentido a família (começando com o casal) deve ser uma "agência missionária"?
2. Até que ponto a família pode ou deve ser um dos nossos maiores recursos para alcançar o mundo?
3. Se o propósito pelo qual Deus fez a família foi alcançar os confins da terra com sua glória, como o casal de namorados já pode se envolver JUNTOS nessa tarefa?
4. Até que ponto "opostos se atraem"? Em sua opinião, quando as diferenças entre duas pessoas podem ser grandes demais?

6. REPRESENTANDO A IMAGEM DE DEUS

Dennis Rainey em seu livro *Ministério com famílias no século 21* conta a história do Milagre de Dunquerque. O dia foi 24 de maio de 1940. O lugar, o Porto de Dunquerque, no mar do norte da França, onde 400 mil soldados das tropas aliadas ficaram presos quando o *blitzkrieg* (termo alemão para guerra-relâmpago) dos tanques alemães invadiu e tomou a França numa questão de dias. Então, com os tanques e o exército alemão a uma distância de somente 15 km, parecia que não havia possibilidade de escape por terra. Com o mar às costas, parecia que 400 mil jovens soldados iriam morrer ou acabar como prisioneiros de guerra.

Do outro lado do mar, na Inglaterra, as mães inglesas ficaram desesperadas. O primeiro ministro Winston Churchill, sempre otimista, sabia que a frota inglesa só poderia resgatar no máximo 30 mil soldados antes do massacre. Precisava de um resgate milagroso. Mas de quem? Como?

Rainey escreve:

> O que ninguém havia percebido era que os cidadãos britânicos não estavam dispostos a abandonar seus filhos exaustos e feridos sem lutar... De maneira informal e verbal, sem qualquer anúncio público, uma imensa armada de

embarcações civis e militares se reuniu para trazer de volta os rapazes britânicos. ... [Uma] marinha desorganizada saiu ao mar para resgatar milhares de soldados britânicos e, mais tarde, também franceses. ... 861 "navios" na esquadra – barcos de pesca, de excursão, lanchas, iates e mais – às vezes com seus tripulantes remando 17 horas sem parar, com as forças alemãs de artilharia tentando afundar o maior número possível deles ... evacuaram 338 mil soldados.[23]

O milagre de Dunquerque aconteceu com um barco de cada vez. Cada um fazendo o que podia para resgatar vidas, para reunir famílias.

Precisamos desse tipo de resgate hoje, não somente em famílias, mas antes disso, no próprio namoro. Se pudermos resgatar um namoro de cada vez, haverá esperança de transformar casamentos daqui a 5, 10 ou 15 anos.

O terceiro propósito que Deus tem para a família, conforme Gênesis 1, é consequência dos primeiros dois. A imagem de Deus será refletida (espelhada) e reproduzida (espalhada) através da "vice--regência" que o casal exerce sobre a terra (Gn 1.26-28). "Vice-regência" significa que o homem e a mulher ocupam um lugar privilegiado como "governantes", "delegados" ou "deputados" comissionados por Deus para continuar sua obra de subjugação e domínio da Terra.

Enquanto Deus descansou do seu trabalho de "encher" e "formar" a terra no sétimo dia (Gn 2.1-3), o homem e a mulher entraram como representantes de Deus que iriam glorificá-lo pelo mesmo serviço. Note que a ordem de "encher, sujeitar e dominar a terra" foi dada ao CASAL (Gn 1.28). Ou seja, o relacionamento a dois visa uma santa cooperação em que o homem e a mulher juntos vão servir o propósito divino de refletir seu ser na expansão do seu Reino e na adoração da sua glória! Veremos mais adiante algumas implicações dessa "vice-regência"

---

[23] RAINEY, Dennis. *Ministério com famílias no século 21*. São Paulo: Editora Vida, 2001, pp. 13ss.

em termos da fase preparatória do namoro, mas basta notar aqui algumas observações importantes.

PROCURAÇÃO DIVINA

Deus, como Criador, é o Dono de toda a terra (Sl 24.1). Mas como Dono, ele tem o direito de delegar autoridade e liderança para quem quiser. Deus fez o homem para ser o representante oficial dele na terra, para continuar a obra dele de organizar e encher a terra: *Enchei a terra e subjugai-a!* (Gn 1.28b) Num certo sentido, Deus deu ao homem uma procuração divina!

Embora não tão diretamente ligado aos conceitos de casamento e família nesse texto fundamental, o "mandato cultural" para trabalhar em prol da glória de Deus certamente traz implicações para namorados. Como representantes de Deus, continuamos a obra que Deus fez, de dar forma e encher a terra. Note que nos seis dias de criação Deus fez exatamente isso - pegando o que era sem forma e dando forma, pegando o que era vazio e enchendo. Mas agora, ele dá essa tarefa ao homem - glorificá-lo pela tarefa de dominar, sujeitar e encher a terra!

TODOS SÃO CRIATIVOS!

Deus fez o casal para governar a terra. Cuidar da criação. Protegê-la. Descobri-la. Nomeá-la e classificá-la. Fazê-la brotar e frutificar, maximizando todo seu potencial. Fazer com que toda a criação produza conforme o potencial dado por Deus. Ou seja, Deus fez a criatura para refletir a essência do seu ser, sendo CRIATIVO! Uma forma maravilhosa de imitar o Criador e glorificá-lo é descobrindo sua infinita sabedoria na criação! Todos nós somos criativos, pois todos somos imagem de Deus!

O que tudo isso tem a ver com o casal de namorados?

Primeiro, a representação da imagem de Deus como casal no trabalho sugere uma cooperação mútua. Uma das perguntas que o casal de namorados deve responder antes de avançar para o casamento é: Trabalhamos bem juntos? Completamos um ao outro no serviço? Temos usado nossos dons para servir a Deus em nosso trabalho secular e "espiritual" (na igreja)?

Segundo, nosso relacionamento justifica-se pela multiplicação da nossa eficiência e produtividade no Reino de Deus? Ou seja, a soma das nossas vidas como casal é maior do que poderíamos efetuar para a glória de Deus se continuássemos solteiros? (Mais adiante, vamos estudar esse "jugo igual" no serviço a Deus.). Há áreas específicas em que percebemos claramente que um é "forte" onde o outro é "fraco"? Por exemplo, na administração financeira? Sociabilidade? Sensibilidade às necessidades daqueles ao redor?

O Milagre de Dunquerque pode acontecer com namoros hoje. Talvez o resgate seja lento, um namoro a cada vez. Certamente o inimigo há de lançar seus mísseis infernais contra a embarcação de resgate. Mas para o resgate acontecer, a família terá que voltar às suas raízes e redescobrir sua razão de existir: refletir (espelhar) a imagem de Deus, reproduzir (espalhar) a imagem de Deus e representar a imagem (Reino) de Deus. Mas para esse fim, teremos que começar bem, com relacionamentos de namoro norteados pelos grandes propósitos pelos quais Deus criou o homem e a mulher. Que o resgate aconteça, um namoro e uma família de cada vez.

RESUMINDO

1. O relacionamento a dois visa uma santa cooperação entre o casal com o propósito de refletir a Deus na expansão do seu Reino.

2. Deus deu ao casal uma "procuração divina" para continuar a obra dele de organizar e encher a terra.

3. Deus fez a criatura para refletir a essência do seu ser, sendo criativo!

4. À luz do propósito divino para vida a dois, o casal precisa avaliar se trabalha bem junto e se um complementa o outro.

PARA DISCUSSÃO

1. Em que sentido o relacionamento de namoro deve ser complementar e não competitivo?
2. Até que ponto é sábio um casal (de namorados, noivos ou até casados) trabalhar junto? Se não consegue trabalhar junto, deve casar?
3. Como avaliar se a soma de duas vidas juntas (por exemplo, no namoro e casamento) tem um impacto maior para Deus e seu Reino do que se ficassem separadas (solteiros)?
4. Avalie essa declaração: "A maior evidência de um reavivamento verdadeiro manifesta-se no contexto do lar" (Veja Ef 5.15-6.9).

7. O MANUAL DO FABRICANTE I: O ANTIGO TESTAMENTO

O pai suava enquanto tentava pela décima terceira vez encaixar a roda traseira da bicicleta entre a engrenagem e a correia. E pela décima terceira vez jurou que o fabricante havia errado ao empacotar a nova bicicleta. " – Tá faltando peças!", ele exclamou.

Durante 2 horas tentou montar a bicicleta para seu filho, ansioso para dar a primeira volta em seu grande presente de aniversário. "Pai, por que o senhor não lê as instruções?", ele perguntou. "Não preciso de instruções", retornou o pai. "Homens não precisam de manuais de instruções. E mesmo que eu decida lê-las, provavelmente tudo foi traduzido do chinês. Não adianta."

Infelizmente, "ler as instruções" muitas vezes não faz parte da nossa rotina. Deixar de lê-las pode até dar certo na montagem de uma bicicleta ou aparelho, mas os resultados são normalmente trágicos quando se trata da "montagem" da nossa vida – e especialmente no que diz respeito aos nossos relacionamentos.

Mesmo na igreja de Jesus Cristo, muitos têm demonstrado autossuficiência na hora de construir relacionamentos duradouros. Em vez de procurarmos uma palavra confiável de alguém que sabe como a família foi feita para funcionar – o Fabricante – procuramos soluções em livros de autoajuda, psicologia ou "intuição" própria! Infelizmente, são *cisternas sem água*, fontes poluídas (Jr 2.13).

Assim como acontece tão frequentemente o manual do fabricante é o último a ser consultado quando tentamos "montar" a família. Como um autor comentou: "Entre todos os relacionamentos que temos neste mundo, nenhum precisa mais dos pensamentos de Deus e dos seus caminhos do que o casamento."[24]

Neste capítulo, queremos explorar alguns conceitos bíblicos muitas vezes desconsiderados na condução do relacionamento de namoro no contexto brasileiro. Muito material é escrito e publicado explorando princípios práticos para a condução de um relacionamento que leve ao casamento. Parte desse conjunto de materiais é fruto de um estudo sério das Escrituras e uma aplicação saudável de textos bíblicos ao namoro. No entanto, muito do que é apresentado sobre o assunto mistura conceitos e ideias individuais ao ideal de um relacionamento que deveria ser conduzido exclusivamente pelo temor a Deus e aplicação das Escrituras, o manual do fabricante.

Tal prática implanta na mente do público desavisado um padrão orientado por mérito pessoal, que desacredita a profundidade da graça de Deus. Os resultados visíveis desse tipo de abordagem são catastróficos. Rapazes e moças vivem fora do padrão divino de santidade por não entenderem o poder da cruz de Cristo e a perfeita motivação da graça de Deus. São levados a viver expectativas dúbias no que se refere à vida em si e aos seus desdobramentos no processo de namoro. Lutas exageradas com dúvidas, envolvimentos emocionais prejudiciais, imoralidade sexual e outros problemas ligados ao namoro deixaram de ser marcas de um romance entre incrédulos para invadir a igreja e seus grupos de jovens.

Observações simples tiradas da comunidade evangélica mostram jovens solteiros procurando respostas erradas para perguntas construídas fora da vontade de Deus. Deus deixou de ser

---

[24] MILLS, Bill. *Nus*. Atibaia, SP: Primeira Igreja Batista de Atibaia, p. 20.

o centro de suas decisões e reações para ser apenas um "Agente" através do qual sonhos humanos e terrestres se tornam realidade.

Em toda a discussão, tomamos por pressupostas a autoridade[25] e a suficiência[26] das Escrituras para avaliar as tendências que invadem filosofias e práticas de namoro. Portanto, uma das ideias do estudo é aprofundar algumas questões sobre o namoro relacionando-as aos princípios apresentados na Palavra de Deus. O desafio não é apenas saber o que a Bíblia diz, mas onde se encontra os princípios na Bíblia e como se aplicam à situação do namoro e preparo para o casamento.

Isso envolve um estudo bíblico das pressões sobre o coração humano e suas consequências sobre decisões e práticas referentes ao namoro. Precisamos resgatar os conceitos da cruz de Cristo (1Co 1.18-25), santificação progressiva (2Co 3.18), graça para mudança genuína (Tt 2.11-14) e renovação de mente (Rm 12.1,2). São as principais bases de análise para a construção de uma atitude voltada a Deus e traduzida num padrão de namoro que leva os envolvidos a um relacionamento mais íntimo com o Criador, para a honra e glória dele (1Co 10.31; 2Co 5.9).

O processo todo deve ser visto sob a ótica desses princípios, desde a escolha do candidato para o namoro até o compromisso final que culmina no casamento. As verdades fundamentais para esse tipo de avaliação veem da Palavra de Deus (2Pe 1.3), que apresenta todos os princípios para tornar prática a santidade no período de namoro, para agradar a Deus e para o benefício de todos os envolvidos. Portanto, se você está seriamente decidido a construir um namoro segundo a vontade de Deus, você deve considerar seriamente estudar o conteúdo da Bíblia e tornar-se um especialista em sua aplicação.

---

[25] A autoridade das Escrituras é o conceito que coloca a Bíblia como palavra final sobre qualquer assunto relevante à vida e à piedade (Jo 17.17).

[26] A suficiência das Escrituras é o conceito de que a Palavra de Deus possui todos os princípios necessários para fazer aquilo que promete fazer, ou seja, tornar perfeito todo o homem para toda boa obra (2Tm 3.16,17). Somente a pura Palavra de Deus pode cumprir o que promete (2Pe 1.3).

Para ajudá-lo nesse processo, selecionamos algumas passagens em ambos os Testamentos. O Antigo Testamento apresenta passagens descritivas de encontros de casais que serão avaliadas dentro de seus respectivos contextos, mostrando princípios permanentes em contraste com as características contemporâneas da época bíblica e propósitos dos livros bíblicos. Então, com o significado em mãos, será analisada a aplicação ou não de possíveis princípios nos dias de hoje. No próximo capítulo, as passagens selecionadas do Novo Testamento lidam com ordens bíblicas referentes ao casamento e ao proceder geral dos santos, ou seja, princípios de santidade que devem ser considerados e aplicados ao namoro e a qualquer outro aspecto da peregrinação cristã na Terra.

ANTIGO TESTAMENTO

Uma prática comum no estudo bíblico sobre namoro é a moralização[27] de passagens descritivas de encontros de casais do Antigo Testamento. Com o objetivo de acalmar a ansiedade de jovens solteiros que buscam o casamento, surgem publicações, estudos e sermões que desrespeitam o significado original das Escrituras e o abismo temporal e cultural que separa os tempos bíblicos dos dias do leitor de hoje. A intenção de procurar princípios para a "vontade de Deus" no que se refere ao casamento é louvável, porém a criação de princípios longe do significado original das Escrituras é muito prejudicial.

O resultado é a aplicação de princípios que não se sustentam diante de uma análise das passagens bíblicas. Ou seja, são extraídos princípios que não fazem parte da vontade revelada de Deus, mas que são resultantes de erros de interpretação. São ideias humanas que usam o linguajar bíblico, mas não correspondem à mensagem do texto bíblico e tampouco têm a autoridade da Palavra.

---

[27] Moralização do texto bíblico refere-se à má interpretação dos textos bíblicos que transforma uma narrativa ou passagem descritiva em princípios normativos, longe do sentido literal da passagem. O próprio capítulo irá apresentar exemplos de moralização de narrativas bíblicas.

Desconsideram o propósito do texto bíblico em seu contexto original. Portanto, é importante considerar de maneira correta algumas dessas passagens para aplicar o que de fato diz a Palavra de Deus e não o que o leitor quer.

HISTÓRIAS DE CASAMENTOS

Adão e Eva

A primeira história de casamento é a de Adão e Eva. Gênesis 2 relata a criação desse casal e como Deus uniu de forma única os pais da humanidade. Moisés detalha em Gênesis 2.4-9 e 15-25 a criação do homem durante o sexto dia da primeira semana da história (Gn 1.26-31).

O homem foi colocado no jardim para cuidar da criação divina e zelar pela obediência ao mandamento referente à árvore do conhecimento do bem e do mal. Deus havia proibido que o homem comesse dessa árvore e a desobediência seria punida com a morte (Gn 2.16,17). Também foi delegado ao homem nomear todos os animais que Deus criara (Gn 2.19). Diante de todas as responsabilidades designadas ao homem, Deus declarou que não era bom que ele estivesse só (Gn 2.18). A solidão não era boa.

Então, ele colocou o homem em profundo sono, tomou uma de suas costelas (ou carne de seu lado) e criou a mulher (Gn 2.21, 22). O homem reconheceu que esta era osso de seus ossos, carne de sua carne e lhe chamou "varoa" ou "mulher" (Gn 2.23). Essa foi a solução divina para o problema da solidão: a criação da mulher, auxiliadora idônea (Gn 2.20).

Um dos motivos da criação do casamento foi justamente solucionar a solidão do homem. Deus criou no casamento uma aliança de companheirismo. Nesse processo, também instituiu a mulher como auxiliadora idônea do homem. Alguém que iria auxiliar a Adão, "honrar sua vocação, compartilhar suas alegrias e respeitar a proibição."[28] No casamento o homem deixa pai e mãe e une-se a sua mulher (Gn 2.24). Essa é uma união que usa a linguagem de compromisso pactual, ilustrando o relacionamento de Deus com seu povo (Os 2.14-23; Ef 5.22-32).[29] Já aqui existe uma forte insinuação sobre a natureza permanente do casamento.

O QUE O TEXTO NÃO ENSINA

O encontro de Adão e Eva é fonte de esperança e inspiração para aqueles que creem na teologia da busca pelo ideal de Deus.[30] Para eles, Deus tem UM cônjuge específico escolhido para cada um e cabe a cada um de nós esforçar-se para encontrar o seu. A conclusão imediata é que da mesma forma que Deus trabalhou soberanamente para unir Adão e Eva, assim ele também agirá para trazer o cônjuge esperado. Embora esse pensamento seja baseado em pontos de verdade, ele desconsidera outros. A esperança da ação divina para trazer uma companheira ideal é pregada como norma para o cristão contemporâneo desconsiderando os efeitos da queda na História da Humanidade e suas implicações para o namoro e casamento.

Os que afirmam esse "plano ideal" de Deus sugerem que o cristão deve esperar que Deus entre em ação e aponte aquela que será sua companheira perfeita enquanto ele descansa, assim como Adão. De fato, Deus age soberanamente unindo pessoas em casamento (Mt 19.6). Também afirmamos que o cristão não deve andar ansioso por casamento ou coisa alguma (Pv 18.22; 19.14; Mt 6.25ss; Fl 4.6). Porém, desprezar os efeitos do pecado na História da Humanidade irá ignorar os recursos da cruz de Cristo para conduzir pecadores à união matrimonial e mantê-los unidos.

Embora possamos tirar lições dessa narrativa em diferentes níveis, ela precisa ser cautelosamente estudada antes de ser considerada como o correspondente bíblico para o conceito atual de namoro.

---

[28] WALTKE, Bruce. *Genesis, a commentary*. Grand Rapids: Zondervan, 2001, p. 88.

[29] Ibid., p. 90.

[30] Veja mais sobre o assunto no capítulo 9.

Infelizmente, "alguns escritores tomam essa passagem para indicar que para cada homem, Deus preparou uma mulher perfeitamente condizente para ser sua esposa".[31] Se fosse assim, teríamos desafios práticos consideráveis. Como lidar com as diferentes proporções entre homens e mulheres na população mundial? Aqueles que não encontram sua respectiva "alma gêmea" poderiam concluir que não estão buscando a Deus da maneira correta e saíram de alguma forma do plano divino ideal para seu futuro conjugal (o que também poderia ser verdade). Esse tipo de moralização do texto bíblico gera culpa e amargura naqueles que ainda esperam o "melhor" de Deus e deixaram de aplicar tantas outras passagens para construírem um relacionamento que espelhasse Cristo e a Igreja, melhor que Adão e Eva.

O QUE O TEXTO ENSINA

A história de Adão e Eva foi única na história da humanidade e não se repetiu mais da mesma forma. O que ocorreu é descrito para a instrução dos filhos de Deus acerca dos primeiros acontecimentos. O recipiente original dessa narrativa havia passado centenas de anos imersos como escravos numa cultura pagã e promíscua - Israel no Egito. Em sua misericórdia e graça, Deus reforça o início de todas as coisas, revelando-se numa narrativa incrivelmente pessoal em contraste com o paganismo no qual o Seu povo estava imerso por séculos. Sendo assim, o princípio normativo referente ao casamento encontra-se na declaração divina no versículo 24: Por isso deixa o homem pai e mãe, e se une à sua mulher, tornando-se os dois uma só carne. Esse princípio é repetido ao longo do Novo Testamento como mandamento universal para a humanidade com relação ao casamento (Mt 19.4-6; Mc 10.6-9; Ef 5.31).

Isaque e Rebeca

Da mesma forma, a história de Isaque e Rebeca também é considerada como norma para aqueles que creem em uma

---

[31] FRIESEN, Garry. *Decision making and the will of God*. Sisters: Multnoah, 1980, p. 298, (tradução pessoal).

teologia baseada em informações extrabíblicas, adeptos da comunicação divina direta e mística, que dizem escutar a "voz de Deus". No final do livro veremos essa "História de Amor" de forma mais "romântica", mas agora vamos focalizar mais no que NÃO ensina.

Gênesis 24 narra o processo da escolha de uma noiva para Isaque. O contexto desse capítulo é o desdobramento das promessas feitas por Deus para seu servo Abraão, pai de Isaque. Deus havia prometido um filho para Abraão em circunstâncias que exigiam uma intervenção sobrenatural da parte dele (Gn 17.15-19; 18.11-14; Hb 11.11,12). A promessa de uma descendência numerosa iria se cumprir a partir de um filho gerado em sua velhice (Gn 15.1-6).[32]

No início de Gênesis 24, a história começa na velhice de Abraão, que confiou a seu servo mais antigo a missão de buscar uma esposa para seu filho Isaque. A missão era enviá-lo à terra de sua parentela (Gn 24.1-4). O desafio foi feito debaixo de juramento e o servo de Abraão deveria voltar com uma esposa para o filho da promessa, sem deixar que o herdeiro fosse à terra de onde saíra Abraão (Gn 24.5-9).

Com dez camelos e muitos presentes, o servo de Abraão partiu para a cidade de Naor, na Mesopotâmia, para cumprir sua missão. Ainda fora da cidade, perto do poço onde as moças tiravam água, o servo orou a Deus pedindo um sinal de confirmação divina para conhecer a esposa que ele havia "designado" para Isaque (Gn 24.10-14).

A oração foi respondida da forma que o servo havia pedido (Gn 24.15-20). No entanto, ele ainda avaliava se Deus atendera a seu pedido incomum (Gn 24.21). Somente depois de algumas observações extras que o servo entendeu que Deus respondera à sua oração (Gn 24.22-27).

---

[32] A narrativa faz parte de um desdobramento ainda maior, que descreve o processo pelo qual o Senhor está preparando a nação de onde viria o Messias prometido, bênção para todo o mundo (Gn 12.3).

Na casa da família de Rebeca, o fiel servo de Abraão expôs o objetivo de sua viagem (Gn 24.28-48). Porém, ainda assim, ele entendeu que a moça estava debaixo da autoridade de sua família que poderia ou não concordar com a estranha proposta de casamento (Gn 24.49). A confirmação que Rebeca seria a esposa de Isaque veio a partir de Labão, que autorizou que ela fosse levada para a terra de Abraão (Gn 24.50,51). Rebeca também confirmou seu desejo de estar com Isaque (Gn 24.57-59), conforme proposto pelo servo de seu pai. Sem dúvida alguma, a história mostra a condução sobrenatural do Senhor que acompanhou o servo de acordo com a instrução de Abraão (Gn 24.7,27,48).

O QUE O TEXTO NÃO ENSINA

Uma leitura desatenta da passagem pode levar a conclusões comuns que estão fora do próprio propósito contextual da história:

1. A concessão de orientação detalhada fora da vontade moral de Deus [revelada];
2. A validade de usar "sinais" circunstanciais para descobrir a vontade de Deus em importantes decisões;
3. A noção de que a vontade de Deus individual inclui uma pessoa específica com quem um crente deva se casar.[33]

O problema com essas conclusões é que essa não é uma passagem normativa para os cristãos em geral, mas descritiva da atuação divina no cumprimento da promessa para a linhagem da família de Abraão. Em outras palavras, o propósito da passagem não é ensinar um processo bíblico normativo para o namoro ou casamento, mesmo que haja princípios no texto que se apliquem ao namoro. Essa história não é uma descrição precisa de como Deus age com cristãos de hoje no que se refere à escolha de um futuro cônjuge. A passagem descreve como Deus agiu na história para dar ao filho da promessa uma esposa e assim dar sequência no cumprimento da aliança feita com Abraão, pai de Isaque (Gn 15.1-6).

---

[33] FRIESEN, Garry. *Decision making and the will of God*, p. 299.

O QUE O TEXTO ENSINA

Os princípios aplicáveis aos cristãos contemporâneos referem-se à fidelidade de Deus e ao seu poderoso agir para cumprir suas promessas. A passagem não ensina que Deus irá garantir orientação sobrenatural a partir de pedidos por sinais quanto à questão de namoro e casamento. Deus se mostra mais uma vez fiel, conduzindo o processo de casamento para Isaque e Rebeca como cumprimento de sua aliança com Abraão. Este, por sua vez, permanece fiel a Deus e procura garantir que sua descendência continue no mesmo caminho. O texto também sugere a importância de casamentos realizados dentro do mesmo jugo. Abraão não permitia de forma alguma que Isaque casasse com uma das mulheres pagãs da terra.[34]

Deus irá cumprir sua Palavra já revelada, que inclui a santificação de seus filhos e o uso de todas as coisas, inclusive a possibilidade ou não de casamento, para produzir neles o caráter de Cristo (Rm 8.28,29). Deus é fiel às suas promessas e não aos ídolos do coração humano. O casamento é bom porque Deus o criou e o instituiu. O fato de não haver casamento não é necessariamente um sinal de maldição sobre o solteiro, mas mordomia divina das circunstâncias que são úteis para conduzir o cristão ao caráter de Cristo e à santificação.

Boaz e Rute

A história de Boaz e Rute é ainda mais curiosa diante da compreensão do contexto em que os protagonistas se encontraram e foram unidos em casamento. Os acontecimentos narrados no livro de Rute mostram a questão do parente remidor, conceito pertencente ao contexto judaico e aplicado durante a época dos

---

[34] Em Gênesis 24.3, Abraão pede que seu servo jure a ele que não irá buscar uma esposa para Isaque no meio dos cananitas. Bruce Waltke, em *Genesis, a commentary* (p. 327) aponta a fidelidade de Abraão em buscar uma esposa para Isaque entre os semitas abençoados e não entre os cananitas amaldiçoados (Gn 9.24-27; 15.16; 18.18-19; Dt 7.1-4).

juízes.[35] Esse é o pano de fundo histórico do casamento de Boaz e Rute (Rt 1.1).

A pobre condição espiritual do povo de Israel durante o período dos juízes fomentou uma profunda degradação de valores morais e a desobediência deliberada à aliança com o Senhor. Nesse contexto, é observado o famoso "ciclo de falhas" em que Deus pune o pecado do povo com a opressão de povos pagãos. Então, há clamor por libertação de um povo arrependido e esse é seguido pelo livramento divino através de um juiz para julgar e libertar Israel. A história dos efratitas Elimeleque, Noemi, Malom e Quiliom (Rt 1.2) e das moabitas Orfa e Rute (Rt 1.4) é narrada nesse contexto de degradação espiritual do povo de Israel.

Em virtude de um período de fome na terra de Belém de Judá, a família de Elimeleque migra para habitar as terras de Moabe (Rt 1.1). Longe de casa, Elimeleque morre (Rt 1.3), seus filhos se casam com mulheres moabitas e também morrem posteriormente (Rt 1.4, 5).

Noemi encontra-se desamparada com suas duas noras após a morte de seu marido e seus dois filhos. Diante disso, propõe que suas noras voltem cada uma para a casa de sua mãe, pois nada poderia lhes oferecer em termos de abrigo e sustento (Rt 1.6-14). Uma das noras, Orfa, decide voltar, mas Rute permanece com Noemi e declara sua lealdade pessoal à sogra e principalmente ao Deus da família de seu falecido marido, o Senhor da aliança com Israel, Yahweh (Rt 1.15-18). Então, Noemi e Rute retornam a Belém no início do período da sega das cevadas (Rt 1.19-22).

Em Belém, Noemi instrui Rute sobre como agir com Boaz, possível resgatador de sua família (Rt 2, 3). O resgatador era um parente que iria demonstrar amor genuíno ao próximo e lealdade

---

[35] A prática do parente-remidor servia para garantir a preservação da herança da terra dentro da família. Quando um homem falecia sem deixar um herdeiro, um parente próximo poderia (deveria) casar-se com a viúva na tentativa de suprir um herdeiro e manter a herança familiar. Era uma prática altruísta, pois o filho gerado seria considerado filho do falecido.

à aliança através da proteção aos carentes e desprotegidos.³⁶ Tal proteção consistia na compra das terras da família de Noemi e no casamento com Rute para dar sequência à descendência de seu falecido marido (Rt 4.5). Boaz foi informado que era resgatador através da fidelidade de Rute em seguir as instruções de Noemi (Rt 3). No entanto, ele sabia que não era o resgatador mais próximo. Diante dos anciãos da cidade, informou o parente mais próximo da situação de Noemi e Rute. O resgatador abriu mão de sua obrigação por causa da questão do casamento (Rt 4.6). Boaz assume o resgate, recebendo o calçado do outro candidato a resgatador como símbolo de negócio encerrado e casa-se com Rute (Rt 4.7-10).

Rute foi honrada como resultado de sua lealdade ao Deus de sua sogra. Ela concebeu e teve um filho, Obede, que veio a ser o avô do futuro rei Davi. Deus operou seu perfeito plano para preservar a linhagem do Messias de forma soberana através de pessoas comuns.

O QUE O TEXTO NÃO ENSINA

Mais uma vez, o casamento descrito nessa história não é uma norma de procedimento para os dias atuais, mas o princípio da soberania divina usando todas as coisas, inclusive a tragédia familiar e o casamento, para operar seu plano na história. O princípio geral é a fidelidade de Deus que motiva a fé e a dependência entre o povo de Deus.

O QUE O TEXTO ENSINA

Além da mensagem de soberania divina, alguns destaques podem ser feitos como aplicação direta à questão do namoro e casamento atuais. Rute foi leal a Deus e desfrutou das bênçãos celestiais e terrenas para sua vida: ela casou-se com Boaz. Uma

---
³⁶ PINTO, Carlos Osvaldo. *Foco e desenvolvimento no Antigo Testamento*. São Paulo: Hagnos, 2006, p. 244.

atenção aos detalhes da história mostra uma mulher comprometida em fé, confiante nos propósitos divinos e soberanos e empenhada em tornar-se uma mulher de excelência. Suas atitudes refletiam um caráter transformado pela fé e a transformaram em um "bom partido" aos olhos de Boaz (Rt 3.11). *A excelência de caráter deve ser a maior qualidade do cristão para o casamento.* Como resultado da obediência à vontade revelada de Deus, tanto Boaz como Rute experimentaram o casamento como parte da vontade divina não revelada previamente a eles e perfeita em seus desdobramentos conforme era escrita na vida desses protagonistas fiéis ao Senhor.

Davi e suas esposas

As histórias do rei Davi e seus casamentos mostram situações que poderiam facilmente compor o enredo de um filme ou uma novela atual. Entre acertos e erros, Davi é um exemplo de situações diversas que o relacionamento conjugal pode envolver, desde uma manobra política de proteção ao reino até o adultério.

A união de Davi e Mical foi resultado de uma manobra do rei Saul para garantir seu lugar no trono (1Sm 18.20-29) e posteriormente usada por Deus para proteger o jovem ungido do Senhor contra o próprio criador do plano (1Sm 19.8-17). Além de Mical, Davi tomou por esposa Abigail depois da morte de seu marido Nabal (1Sm 25.2-42). Uma história que mais uma vez ressalta as qualidades de uma mulher de excelência. A última história matrimonial de Davi registrada pelas Escrituras foi fruto de seu adultério com Bate-Seba e do assassinato de seu marido Urias (2Sm 11).

Em livros marcados por contrastes entre personagens, o editor de 1 e 2Samuel organiza as histórias de casamento de Davi para mostrar o coração de um monarca que buscou ser fiel a Deus, apesar de pecados nesse delicado aspecto da vida. Porém, a poligamia de Davi não pode ser considerada norma para o cristão de hoje em hipótese alguma. Aliás, a Bíblia já reflete um tom de monogamia desde o relato da criação: *uma só carne*, não "carnes" (Gn 2.24). Havia instruções para que reis não multiplicassem suas esposas (Dt 17.14-20). E o Antigo Testamento apresenta relatos dos problemas que a falha em observar essas instruções poderia trazer (1Rs 11.3-4). Além disso, o Novo Testamento também enfatiza a união monogâmica, mostrando que o plano original divino sempre foi a união de um homem com uma mulher (Ef 5.22-33; 1Tm 3.2, 12; e Tt 1.6).

CONCLUSÃO

Muitas outras histórias de encontros matrimoniais dentro do Antigo Testamento também poderiam ser estudadas na busca por princípios que se aplicam ao namoro e ao casamento contemporâneos. Por exemplo, as histórias de Xerxes e Ester (livro de Ester) e de Jacó e Raquel (Gn 29). As conclusões de cada uma delas irão variar de acordo com o propósito e a mensagem dos livros em que se encontram.[37]

O que fica claro é que, se quisermos "montar" uma família saudável e que glorifica a Deus, teremos que voltar ao manual do fabricante, e isso já a partir do namoro. Mas ainda há mais instruções a serem examinadas no Novo Testamento.

RESUMINDO

1. A tendência natural do homem é buscar soluções para a vida em fontes de águas poluídas.

2. A Palavra de Deus tem a autoridade necessária para orientar jovens no processo de namoro.

3. A Palavra de Deus é suficiente para orientar jovens no processo de namoro.

---

[37] Outros aspectos que possuem uma aplicação mais direta, como no caso da excelência de caráter de Rute (Rt 3.11), também poderiam ser avaliados. Porém, não é nosso objetivo apresentar um estudo exaustivo das histórias de todos os casamentos do Antigo Testamento, mas mostrar dentro desse tópico como o uso de algumas ferramentas de estudo auxilia na busca e na compreensão de princípios aplicáveis ao namoro e ao casamento contemporâneos.

4. Um dos motivos da criação do casamento foi justamente solucionar a solidão do homem. Deus criou no casamento uma aliança de companheirismo.
5. Casamentos devem acontecer dentro do mesmo jugo.
6. A excelência de caráter deve ser a maior qualidade do cristão para o casamento.

PARA DISCUSSÃO

1. Por que somos tão lentos em procurar instruções na Palavra de Deus sobre relacionamentos como namoro, noivado e casamento, e tão prontos para ouvir outras vozes?
2. Das histórias de casais no Antigo Testamento descritas acima, qual serviu de maior inspiração para você? Por quê?
3. Você concorda ou discorda com as lições destacadas que os textos acima NÃO ENSINAM?
4. Deus aprovou a poligamia no Antigo Testamento? Por que não?

8. O MANUAL DO FABRICANTE II: O NOVO TESTAMENTO

Qual é a raiz dos problemas dentro do namoro? Quando namorados discutem, onde está a raiz do problema? Será que é falta de compatibilidade? Afinidade? Ou então, o que você diria para alguém tomado de dúvidas acerca da vontade de Deus com relação ao namoro? Comece a namorar e veja o que acontece? E se não der certo, o que Deus está fazendo? Construindo um casamento futuro enquanto rega dois corações com dor e amargura? Para um cristão que deseja agradar a Deus, quanto ele pode demonstrar de forma física seu carinho por sua namorada? Pode beijar? Se sim, por quanto tempo? Se não, pode então andar de mãos dadas? Ah, que exagero! Mas você já pensou em responder a essas perguntas de acordo com o manual do fabricante?

Se por um lado o Antigo Testamento é rico em histórias de casamento, mas não tão normativo em princípios diretos e específicos quanto ao assunto, o Novo Testamento é escasso em histórias de encontros, mas repleto de princípios que se aplicam de forma clara, tanto ao namoro quanto ao casamento. São princípios que dão respostas às perguntas acima.

É nossa convicção que o Novo Testamento contribui grandemente para estabelecer os limites gerais do relacionamento de namoro dentro do padrão divino de santidade. Existem muitas passagens que poderiam ser estudadas e aplicadas às diversas situações de namoro e casamento no que se refere à prática da "regra de ouro" (Mt 7.12), compreensão de um amor maduro (1Co 13.1-8), submissão (Ef 5.22-24; 1 Pe 3.1,2), serviço humilde (Fl 2.1-8), comunicação (Tg 3.2-12) e muitos outros exemplos. Porém, a seleção das passagens abaixo foi feita com o objetivo de estabelecer algumas das principais bases de um relacionamento santo e direcionado para a glória de Deus. Quando necessário, outras passagens serão mencionadas e aplicadas.

NOVO TESTAMENTO

O CORAÇÃO DA QUESTÃO
É UMA QUESTÃO DO CORAÇÃO

Marcos 7.20-23

E continuou: O que sai do homem é que o torna 'impuro'. Pois do interior do coração dos homens vêm os maus pensamentos, as imoralidades sexuais, os roubos, os homicídios, os adultérios, as cobiças, as maldades, o engano, a devassidão, a inveja, a calúnia, a arrogância e a insensatez. Todos esses males vêm de dentro e tornam o homem 'impuro'.

Esse pequeno trecho é o desfecho do conflito mais longo entre Jesus e seus oponentes no evangelho de Marcos. Em Marcos 7.1-23, Jesus esclarece o propósito essencial da Lei e define a moralidade como uma questão de pureza interna, motivações e coração, ao invés de atividades externas de acordo com tradições e rituais.[38]

O conceito do coração como fonte de todos os males não é novidade nas Escrituras. O texto de Marcos 7.20-23 reforça o que já foi exposto com relação a Provérbios 4.23 e o conceito do coração como homem interior. No entanto, a passagem possui em seu contexto uma distinção clara que merece atenção. Pureza e

---
[38] EDWARDS, James. *The gospel according to Mark.* Grand Rapids: W. B. Eerdmans, 2001, p. 214.

impureza não estão relacionadas simplesmente ao cumprimento ou não de regras, mas a uma disposição de coração.[39] O namoro deve ser conduzido debaixo dessa compreensão sobre a natureza do homem. Problemas e conflitos irão surgir no namoro. Diante dos maus pensamentos, imoralidades sexuais, adultérios, cobiças, maldades, engano, devassidão, inveja, calúnia, arrogância e insensatez, os namorados precisam entender que tudo isso apenas reflete exteriormente a condição do homem interior.

A TALHADEIRA CHAMADA "NAMORO"

Dizem que o grande artista Michelangelo, ao esculpir a Pietà (figura de Jesus morto no colo da sua mãe, Maria), comentou que via as figuras presas dentro do mármore, mas que tinha que libertá--las, custe o que custasse. O grande escultor não via a pedra em si, mas a imagem dentro dela. Para libertar as figuras, precisava tirar tudo que não parecia com a imagem sendo esculpida.

Deus faz assim conosco. Esculpe a imagem de Cristo em nós. O Espírito Santo segura o martelo, a Palavra de Deus. A talhadeira representa tudo que Deus usa para nos lapidar, polir e lixar. Às vezes, o processo dói! Mas o sofrimento, a dor, a mudança, fazem parte do processo de nos conformar à imagem de Cristo. Ele expõe nosso coração e nos leva à dependência de Jesus. Cada batida do martelo, cada lasca do pecado que cai, liberta mais do esplendor da glória de Cristo em nós.

Relacionamentos constituem uma das talhadeiras prediletas nas mãos do Escultor Divino.

Romanos 8.28, 29

Sabemos que Deus age em todas as coisas para o bem daqueles que o amam, dos que foram chamados de acordo com o seu propósito. Pois aqueles que de antemão conheceu, também os predestinou para serem conformes à imagem de seu Filho, a fim de que ele seja o primogênito entre muitos irmãos.

---
[39] cf. Colossenses 2.20-23.

Deus age em todas as coisas *para o bem daqueles que o amam...* (Grifo do autor). Todas? Inclusive no namoro? Sim. O texto de Romanos 8.28 e 29 aponta promessas que trazem grande esperança e confiança para namorados que amam a Deus. Independente do que aconteça no namoro, Deus irá usá-lo como talhadeira de santificação na vida de ambos. Certos de seu futuro na glorificação completa, os namorados podem confiar que Deus está usando todas as coisas para esculpir neles a imagem de Cristo Jesus.[40]

Portanto, todo e qualquer conflito dentro do namoro tem o propósito potencial de levar os namorados a ser mais parecidos com Cristo. Tribulações e bênçãos servem de instrumentos de santificação nas mãos de Deus.

NA DÚVIDA, ESPERE!

Romanos 14.23

Mas aquele que tem dúvida é condenado se comer, porque não come com fé; e tudo o que não provém da fé é pecado.

Dentro do debate acerca da permissão de certas comidas e dias consagrados, o apóstolo Paulo soluciona o debate através dos princípios de amor ao próximo e fé. O amor deve ser exercido para não praticar nada que irá causar tropeço na vida de um irmão (Rm 14.20). E a fé deve ser exercida por aqueles que praticam o que não condenam. O texto é claro que se há dúvidas com relação ao que se come, não há fé e, portanto, é pecado. A falta de fé em decisões que envolvem um elemento de dúvida sobre sua proibição não é pecado em si mesmo.

Para evitar o pecado pela falta de fé diante de uma decisão de namoro, os candidatos a namoro devem esperar. Esse é o *princípio da espera*: nunca decidir nada até que exista certeza de que a decisão não envolve pecado.[41]

O princípio da espera não se aplica a decisões que envolvem medo sobre algo que é certo e aprovado diante de Deus. Nesse

---

[40] SCHREINER, Thomas R. *Romans*. Grand Rapids: Baker, 1998, p. 448.

[41] ADAMS, Jay. *A theology of christian counseling*. Grand Rapids: Zondervan, 1979, p. 31.

caso, é necessário um passo de fé e confiança em Deus. Mas o princípio da espera se aplica a situações em que a decisão está sob dúvidas com relação à sua natureza: se é pecado ou não.

No namoro, é comum enfrentar indecisões diante de passos que, quanto à natureza, são incertos. Talvez seja pecado, talvez não. Diante dessa situação, o casal deve aplicar o princípio da espera. Estudar sobre o assunto e buscar conselhos para solucionar o impasse seriam passos sábios. DECISÕES COM DÚVIDAS SOBRE A NATUREZA PECAMINOSA JÁ SÃO EM SI PECADO DE VIOLAÇÃO DE CONSCIÊNCIA.

Deus continua usando relacionamentos, especialmente de namoro, noivado e casamento, como talhadeiras em suas mãos. Tais relacionamentos revelam em nossas vidas pontos de egoísmo, cobiça, idolatria, impaciência, ira que precisam ser lapidados a fim de que sejamos como Jesus.

QUEM AMA, ESPERA

1Coríntios 7.1-4

Quanto aos assuntos sobre os quais vocês escreveram, é bom que o homem não toque em mulher, mas, por causa da imoralidade, cada um deve ter sua esposa, e cada mulher o seu próprio marido. O marido deve cumprir os seus deveres conjugais para com a sua mulher, e da mesma forma a mulher para com o seu marido. A mulher não tem autoridade sobre o seu próprio corpo, mas sim o marido. Da mesma forma, o marido não tem autoridade sobre o seu próprio corpo, mas sim a mulher.

O capítulo 7 de 1Coríntios é repleto de doutrina acerca do casamento. Provavelmente, o capítulo é parte da resposta de Paulo a uma carta da igreja de Corinto com perguntas sobre o assunto (1Co 7.1). O princípio geral dos primeiros quatro versículos é muito importante na construção de uma mentalidade de namoro compatível com a visão bíblica de casamento e pureza sexual.

Nesse trecho do capítulo, Paulo orienta os coríntios com relação aos deveres conjugais do marido e da esposa. Claramente o apóstolo está lidando com os deveres sexuais, uma vez que deveres conjugais são apresentados de forma paralela à imoralidade sexual. O fundamento da argumentação do apóstolo é que a esposa não tem autoridade sobre o seu próprio corpo e nem o marido sobre o seu. Cada um tem a responsabilidade de agradar ao cônjuge quanto ao sexo.

Obviamente, o princípio não se aplica diretamente aos namorados, uma vez que o sexo é exclusivo no contexto do casamento (Hb 13.4). No entanto, a compreensão de que o sexo não é para o prazer próprio, mas para a satisfação do cônjuge é uma mentalidade a ser construída antes, durante e depois do namoro. Sexo não foi criado para prazer pessoal, solitário ou dos namorados, mas para satisfazer as necessidades do futuro cônjuge.[42]

Jovens iludidos com ensinos diferentes se envolvem com masturbação, carícias durante o namoro e fornicação porque não entendem que o sexo é legítimo dentro dos limites do casamento e para a satisfação do cônjuge. São jovens que vivem um padrão egoísta e centralizado em seus próprios desejos. O texto de 1Coríntios 7.1-4 ensina princípios bíblicos de sexo que devem nortear a mentalidade daqueles que são casados e de solteiros aspirantes ao matrimônio.

UM PROPÓSITO MAIOR: AGRADAR A DEUS

2Coríntios 5.9

Por isso, temos o propósito de lhe agradar, quer estejamos no corpo, quer o deixemos.

Esse texto desempenha um papel semelhante ao de Gênesis 1.26 e 27 no Antigo Testamento. O versículo em questão direciona os namorados cristãos para o propósito da vida. Nesse caso, o versículo exorta cristãos a viver de forma agradável a Deus. Esse era o desejo máximo de Paulo: onde quer que ele andasse, o apóstolo queria ser agradável a Deus. Ciente do julgamento iminente e certo

---

[42] SMITH, Robert D. *Biblical principles of sex* (The Journal of Pastoral Practice, Vol. VII, No. 2, 1984), 7.

(2Co 5.10), Paulo buscou uma vida que fosse agradável a Deus em todos os seus aspectos.

Obviamente esse conceito tem implicações práticas e diretas no processo de namoro. Seja qual for o resultado de um relacionamento de namoro, ele será um sucesso aos olhos de Deus quando guiado pelo princípio de ser agradável a ele em todos os seus aspectos. Se esse for o caso, namorado e namorada crescerão mais perto do Senhor, exalando o doce aroma de Cristo onde quer que estejam atuando como bons embaixadores de Cristo (2Co 5.20).

GRANDE É ESTE MISTÉRIO

Efésios 5.22-33

Mulheres, sujeite-se cada uma a seu marido, como ao Senhor... Assim como a igreja está sujeita a Cristo, também as mulheres estejam em tudo sujeitas a seus maridos. Maridos, ame cada um a sua mulher, assim como Cristo amou a igreja e entregou-se por ela, para santificá-la, tendo-a purificado pelo lavar da água mediante a palavra, e para apresentá-la a si mesmo como igreja gloriosa, sem mancha nem ruga ou coisa semelhante, mas santa e inculpável... Por essa razão, o homem deixará pai e mãe e se unirá à sua mulher, e os dois se tornarão uma só carne. Este é um mistério profundo; refiro-me, porém, a Cristo e à igreja. Portanto, cada um de vocês também ame a sua mulher como a si mesmo, e a mulher trate o marido com todo o respeito.

Em Efésios 5.22-33, o apóstolo Paulo apresenta o casamento como uma analogia com o relacionamento entre Cristo e a igreja. O relacionamento conjugal é colocado em uma elevada posição para demonstrar ao mundo o amor de Cristo pela igreja. Homem e mulher são desafiados a um padrão que excede muito qualquer descrição secular de amor. A teologia paulina de casamento é construída sobre as sólidas bases do amor de Cristo e da submissão da igreja àquele que é o Cabeça, o próprio Senhor Jesus Cristo.

Portanto, o casamento é considerado como uma parábola viva do relacionamento entre Cristo e a igreja. O motor relacional do marido e da mulher é o amor de Cristo por sua igreja como expressão da glória divina. O objetivo principal não é a felicidade pessoal, o cumprimento de sonhos românticos ou a satisfação de supostas necessidades de cônjuges, mas apontar uma realidade e um relacionamento celestial por meio de relacionamentos terrenos. Esse conceito coloca o casamento como uma sublime expressão da imitação de Deus por parte do cristão (Ef 5.1).

A santidade requerida por Deus no relacionamento entre cristãos e o objetivo maior do matrimônio são as bases para a construção de um casamento. O matrimônio pode ser edificado através de um relacionamento coerente de namoro que aponte justamente para esses objetivos finais dentro do casamento. Sendo assim, os demais princípios de namoro devem ser desdobramentos naturais do exercício da santidade e da imitação de Cristo.

DEFRAUDAÇÃO

1Tessalonicences 4.1-8

Quanto ao mais, irmãos, já os instruímos acerca de como viver a fim de agradar a Deus e, de fato, assim vocês estão procedendo. Agora lhes pedimos e exortamos no Senhor Jesus que cresçam nisso cada vez mais. Pois vocês conhecem os mandamentos que lhes demos pela autoridade do Senhor Jesus. A vontade de Deus é que vocês sejam santificados: abstenham-se da imoralidade sexual. Cada um saiba controlar o seu próprio corpo de maneira santa e honrosa, não dominado pela paixão de desejos desenfreados, como os pagãos que desconhecem a Deus. Neste assunto, ninguém prejudique seu irmão nem dele se aproveite. O Senhor castigará todas essas práticas, como já lhes dissemos e asseguramos. Porque Deus não nos chamou para a impureza, mas para a santidade. Portanto, aquele que rejeita estas coisas não está rejeitando o homem, mas a Deus, que lhes dá o seu Espírito Santo.

Em 1Tessalonicenses 4, Paulo faz exortações quanto à pureza no trato comum entre irmãos da igreja de Tessalônica e, consequentemente, também aplicadas à igreja contemporânea. Sua preocupação com tais exortações está construída na iminência da

Segunda Vinda de Cristo (1Ts 3.11-13). Assim como em outras passagens bíblicas, a doutrina da volta de Cristo é um forte estímulo à santidade (Fl 2.9-13; 2Pe 1.4; Apocalipse). As promessas da glória divina como coerdeiros de Cristo na eternidade futura sempre são colocadas como as principais bases da motivação à santificação, característica marcante dos cidadãos dos céus.

No versículo 3, Paulo declara explicitamente a vontade de Deus para os crentes em Cristo: a santificação. Trata-se da vontade revelada de Deus e explícita nas páginas das Escrituras. O oposto da santificação é apresentado no restante do versículo, a prostituição. Dentro do Novo Testamento, o termo em si faz referência à impureza sexual geral.[43] No entanto, uma observação mais atenta dentro do restante da passagem mostra que Paulo faz referência também à defraudação entre irmãos (1Ts 4.6).

A frase *que ninguém prejudique seu irmão* ("defraudar" em algumas Bíblias) trata de "paixões despertadas que não podem ser satisfeitas legitimamente".[44] Portanto, nesse contexto, a prostituição referida por Paulo envolve qualquer tipo de impureza sexual e exploração, como maneira de um irmão tirar proveito de outro, na construção de desejos e vontades que não podem ser satisfeitos de forma santa, tanto no âmbito físico como no emocional.

O relacionamento entre irmãos deve espelhar a pureza e a santificação, pois foram salvos para mostrar ao mundo a santidade de Cristo (Rm 6.19; 1Pe 1.14,15).

Dentro de um contexto de namoro e futuro casamento, os irmãos devem respeitar-se em santificação, mostrando a pureza de Cristo em seus relacionamentos livres da defraudação. O casamento é visto de forma sagrada nas Escrituras e o juízo divino está sobre aqueles que o tratam com impureza (Hb 13.4). A desobediência ao mandamento de santificação é uma rejeição deliberada ao próprio Deus (1Ts 4.8).

---

[43] ARNDT, William; DANKER, Frederick W.; BAUER, Walter. *A Greek-English lexicon of the New Testament and other early christian literature*, p. 854.

[44] Faith Baptist Church Staff. *Biblical principles of love, sex and dating*. Lafayette, IN: Faith Baptist Church, p. 28.

A pureza e a santidade de coração são normas absolutas para o casal envolvido num relacionamento de namoro. O cultivo de carinho e o desenvolvimento do amor devem ser feitos com sabedoria para não se transformarem em carícias, contaminando uma união que deve refletir futuramente o relacionamento entre Cristo e a igreja.

COBIÇA E INVEJA

Tiago 4.1, 2

De onde vêm as guerras e contendas que há entre vocês? Não vêm das paixões que guerreiam dentro de vocês? Vocês cobiçam coisas, e não as têm; matam e invejam, mas não conseguem obter o que desejam. Vocês vivem a lutar e a fazer guerras. Não têm, porque não pedem.

Mais uma vez o Novo Testamento confirma a origem dos conflitos interpessoais: o coração. Nesses dois versículos, a epístola de Tiago reforça que guerras e contendas (v. 1a) vêm de paixões e desejos errados (v. 1b). E são justamente os desejos errados (v. 2a) que levam a lutas e guerras (v. 2b).[45] O ciclo do pecado é exposto por Tiago para mostrar como desejos equivocados levam a conflitos. Namorados e cristãos em geral precisam voltar a uma adoração genuína ao Criador e se arrepender da devoção aos seus próprios desejos. Guerras e conflitos apontam o real problema de desejos equivocados. Somente quando corações estão focados em Cristo é que há paz em qualquer relacionamento (cf. Cl 3.13-15).

CONCLUSÃO

Mesmo que a Bíblia não fale diretamente sobre o namoro, a revisão que fizemos de histórias e textos bíblicos leva o leitor a reavaliar a postura do namoro além do seu início e término, quer chegue ao casamento ou não. O namoro fornece mais uma oportunidade de conhecermos nosso coração e de sermos

---

[45] Moo, Douglas J. *The letter of James*. Grand Rapids: W. B. Eerdmans, 2000, p. 184.

educados pela graça de Deus. A finalidade é um relacionamento profundo com o Criador e com o futuro cônjuge em potencial, em que todos parecem mais e mais com Jesus Cristo.

RESUMINDO

1. Pureza e impureza não estão relacionadas simplesmente ao cumprimento ou não de regras, mas a uma disposição de coração.
2. Relacionamentos constituem uma das talhadeiras prediletas nas mãos do Escultor Divino.
3. Princípio da espera: nunca decidir nada até que exista certeza de que a decisão não envolva pecado.
4. O sexo não foi criado para o prazer pessoal, solitário ou dos namorados, mas para a satisfação do futuro cônjuge.
5. O maior propósito da vida é agradar a Deus em tudo.
6. O casamento é uma parábola viva do relacionamento entre Cristo e a igreja.
7. O relacionamento entre irmãos deve espelhar a pureza e a santificação, pois foram salvos para mostrar ao mundo a santidade de Cristo.
8. Desejos mal direcionados são a causa de guerras e conflitos.

PARA DISCUSSÃO

1. Dos textos citados do Novo Testamento, qual mais lhe chamou a atenção, e por quê?
2. Avalie esta declaração: "O namoro deve ser conduzido debaixo dessa compreensão sobre a natureza do homem. Problemas e conflitos irão surgir no namoro." Como o conhecimento da natureza pecaminosa do homem (a questão do coração) ajuda o casal a resolver problemas com a graça de Deus?

3. Avalie esta declaração: "O objetivo principal [do casamento] deixa de ser a felicidade pessoal, o cumprimento de sonhos românticos ou a satisfação de supostas necessidades de cônjuges, mas apontar uma realidade e um relacionamento celestial por meio de relacionamentos terrenos."

4. Em que sentido Deus faz todas as coisas no namoro de dois crentes cooperarem para o bem? (Rm 8.28,29).

9. PROCURA-SE A VONTADE DE DEUS: MITOS NO NAMORO

A carta a seguir representa a ansiedade de muitos jovens quando se trata de decisões sobre o namoro:

Pastor,

Tenho 27 anos. Nos últimos sete anos me dediquei intensamente à vida profissional. Pela misericórdia de Deus, alcancei sucesso e creio ter construído uma base sólida para o meu futuro. De alguns anos para cá, no entanto, me preocupo com minha vida pessoal. Pela idade e pelo momento que vivo, estou certo de que está na hora de ter a minha própria família. Por isso, estou bastante cuidadoso, pois sei que essa é uma das mais importantes decisões da minha vida.

Exatamente nesse período, conheci uma jovem. Fazemos parte da mesma denominação, apesar de estarmos em igrejas diferentes. Vencidas as barreiras iniciais do desconhecimento, nos últimos três meses, nossa aproximação foi bastante intensa. Dialogamos abertamente sobre nossos interesses e, a cada dia que passa, estou certo de que ela é exatamente a pessoa de que preciso. Contudo, temos personalidades diferentes.

Estou orando constantemente para que Deus conduza este processo segundo a sua vontade. Porém, para ser sincero, os meus sentimentos por ela têm evoluído significativamente. Sou sensível à necessidade de permitir que Deus oriente-nos. E é exatamente neste ponto que me sinto desconfortável. Ela acredita que a melhor forma de ter certeza sobre o sucesso da nossa relação é aguardar uma manifestação da vontade de Deus. Eu entendo que o sucesso do relacionamento está condicionado à necessidade de sermos sinceros diante de Deus e expor a ele nossos interesses. Ele, melhor do que ninguém, conhece o nosso coração e sabe até que ponto estamos sendo verdadeiros ou não. Então, temos conversado com Deus toda vez que passamos algum tempo juntos. Toda vez que oro, coloco este assunto diante de Deus para que ele me guie quanto a tudo que devo fazer.

Não sei se estou agindo corretamente. Será que estou me adiantando, ou seja, decidindo por Deus? Se é isto que está acontecendo, o que devo fazer? Por outro lado, de que forma devo me comportar diante da posição dela? Eu estaria certo se orasse pedindo a Deus que faça com que ela desenvolva por mim a mesma afeição que tenho por ela? Devemos orar por algum sinal da vontade de Deus?

Confesso que estou confuso sobre o que devo fazer...

Como descobrir a vontade de Deus? Esta é a preocupação de inúmeros jovens que tanto desejam "acertar" o plano de Deus, mas que se sentem perdidos num mar de opções, possibilidades e oportunidades.

Devemos nos preocupar, sim, com a vontade de Deus. Mas não da maneira como muitos jovens o fazem. Em Efésios 5.17 recebemos a ordem de conhecer a vontade de Deus para nossas vidas: *Por esta razão não vos torneis insensatos, mas procurai compreender qual a vontade do Senhor* (RA).

A frase "procurai compreender" dá a impressão de que é **opcional** saber a vontade de Deus: "Faça o melhor possível, mas se não der certo, não se preocupe." Errado! "Procurai compreender" é a tradução de uma ordem: "Compreenda!" Ou seja, não temos opção. Deus exige que conheçamos a vontade dele. Mas como? Será que temos de decifrar, desenterrar ou desvendar a vontade misteriosa de Deus quanto ao namoro? Sendo mais específico, temos a responsabilidade de achar aquela "única" pessoa no universo entre mais de 3 bilhões do sexo oposto que Deus separou para minha vida?

LÂMPADA, FORQUILHA E PESCA

Infelizmente, hoje há muitos conceitos errados sobre a vontade de Deus circulando por aí. Normalmente também representam algum engano quanto ao caráter e à natureza de Deus.

Por exemplo, para alguns Deus é como o "gênio da lâmpada" encontrada parcialmente enterrada na areia. Quando esfregamos bem a lâmpada (lemos a Bíblia, oramos, damos dízimo, assistimos aos cultos da igreja, evangelizamos) o "Aladim divino" é *obrigado* a nos conceder nosso maior desejo: a revelação dos detalhes de sua vontade e uma garantia de bênção.

Para outras pessoas a vontade de Deus é "descoberta" da mesma forma como o poceiro usa uma "forquilha" para localizar nascentes de água. Assim como seu galho bifurcado supostamente vibra e se mexe quando chega perto da fonte, essas pessoas dependem de formas místicas para "descobrir" a vontade de Deus. Esperam uma visão, uma profecia, um sonho, um decreto ou até mesmo a "multidão de conselheiros" para revelar a vontade de Deus sem maior ou menor esforço.

Algumas dessas mesmas pessoas encaram a vontade de Deus como um pontinho no meio do mar. Temem tanto errar aquela vontade específica, que correm o risco de se afogarem no meio das possibilidades. Não reconhecem uma liberdade geral dentro dos princípios estabelecidos pela Palavra de Deus.

Como descobrir a vontade de Deus? A resposta certa começa com a Palavra de Deus! O desejo de Deus é que conheçamos a vontade dele. O "tesouro" está debaixo de nosso nariz! Foi para revelar sua vontade que ao longo de mais de 1600 anos Deus inspirou quarenta autores diferentes a escreverem as palavras dele, dando-nos assim, um catálogo completo da sua vontade. A vontade de Deus está em 66 livros, 1189 capítulos e 31.173 versículos, todos repletos do seu plano perfeito para nossas vidas!

Infelizmente, esse tesouro está escondido para a maioria dos jovens hoje. Eles não acertam a vontade de Deus porque não conhecem a Palavra de Deus. Como Jesus falou quando denunciou os "religiosos" da sua época: *Vocês erram por não conhecerem as Escrituras* (Mt 22.29).

Cremos que toda a Palavra de Deus revela a vontade de Deus. Mas para entender um pouco melhor sobre essa vontade quanto ao namoro, precisamos corrigir alguns outros mitos.

O MITO DA VONTADE IDEAL DE DEUS

Para muitos jovens sinceros, existe um ideal para cada indivíduo dentro de um plano desejado pelo Criador. Sendo assim, é necessária uma compreensão da "vontade ideal de Deus" para não errar o alvo divino desejado para cada decisão a ser tomada. Logicamente, o namoro não é um assunto imune à aplicação desse tipo de conceito teológico. A possibilidade de um relacionamento fora da vontade desejada de Deus gera medo pela consequente disciplina divina para aqueles que insistem em não buscar o ideal de Deus para o namoro e para o casamento em suas vidas.

Esse suposto "centro da vontade de Deus" é condicionado pela ação de obediência ou não do cristão. Se o cristão demonstra obediência em decidir de acordo com o "ideal de Deus", ele desfruta do plano traçado por Deus e supostamente repleto de bênçãos e felicidades, normalmente terrenas. Caso contrário, irá amargar o plano "B" de Deus, ou até mesmo planos "C", "D" e assim sucessivamente.

Procura-se a vontade de Deus: Mitos no namoro

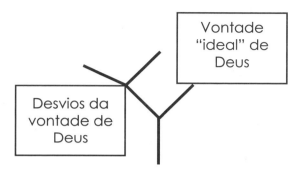

Diagrama: A vontade "ideal" de Deus

Teologias como essa criam na mente do cristão ansiedade e temor que não fazem parte dos ensinamentos da Palavra de Deus. As perguntas quanto à vontade de Deus passam a ser orientadas pelo medo da possibilidade de um sofrimento futuro e não pelo desejo de agradar a Deus em todos os aspectos da vida, inclusive nas escolhas de namoro e casamento. Deus passa a ser servido pelo medo da privação da felicidade terrena, ou seja, Deus é venerado como forma de barganha para alcançar bênçãos terrenas. Assim, ele é transformado em nada mais que um ídolo ou um tipo de "gênio da lâmpada" para satisfazer anseios terrenos.

O problema com essa mentalidade da vontade "ideal" de Deus para o namoro, que o jovem supostamente precisa "descobrir", acontece mais adiante, quando o relacionamento passa por momentos difíceis. Aqueles que advogam a teologia do ideal de Deus são levados a crer que um casamento pode ser fruto de um acidente histórico. Isso resulta de um conflito entre a vontade perfeita de Deus e a rebeldia ou relutância em encontrar o "melhor" do plano divino. Não é difícil perceber que dessa teologia surgem dúvidas e incertezas sobre decisões de namoro e casamento. Essas incertezas são orientadas apenas pela cobiça da satisfação terrena e tiram o foco do cristão em agradar a Deus em tudo (1Co 10.31).

Em vez de perseverar com dependência e confiança em Deus, o jovem é tentado a pensar: "Eu devo ter errado a vontade de Deus", e resolve desfazer o relacionamento (ou o casamento!) na busca da "vontade perfeita" de Deus.

TEOLOGIA DA PROSPERIDADE

A teologia da prosperidade facilmente leva para esse tipo de confusão e insegurança. Mas o sofrimento não significa necessariamente que estamos debaixo de "maldição", ou que erramos a "vontade ideal" de Deus.[46]

O sofrimento presente ou futuro é um instrumento poderoso de santificação nas mãos de Deus (Hb 12.10). O sofrimento é ministrado de forma soberana, dentro dos propósitos divinos para conformar cristãos à pessoa de Cristo (Rm 8.28, 29; Fl 3.10). Portanto, se para Deus o cristão deve sofrer determinada provação em um namoro ou casamento, ele assim o fará. A sabedoria, a soberania e o amor divinos trabalham juntos em circunstâncias que serão usadas na construção de um caráter aprovado diante de Deus, mesmo que isso custe o sacrifício da felicidade temporal e terrena.[47]

Claro, Deus ainda pode ministrar disciplina através das consequências de um namoro que esteja em clara desobediência à vontade revelada dele. Por exemplo, um jugo desigual (2Co 6.14), impureza sexual (1Ts 4.3), ira não resolvida e mágoas (Ef 4.26-31) podem gerar resultados indesejáveis, fruto da disciplina divina por escolhas pecaminosas. A Bíblia aponta para inúmeras circunstâncias em que Deus ministrou sofrimento, e até mesmo a morte, para aqueles que desobedeceram deliberadamente suas ordens claras (At 5.1-11; 1Co 11.30).

---

[46] Normalmente, a teologia da vontade ideal de Deus é construída sobre a má compreensão de textos bíblicos que, na verdade, ensinam os decretos de Deus (Pv 16.9; Jr 1.5; 1Pe 4.19; Ef 2.10; Tg 4.16; 1Co 4.19).

[47] SCOTT, Stuart. Notas de aula do curso Problemas e Procedimentos. Santa Clarita, CA. The Master's College, 2004.

AS COISAS REVELADAS E AS DESCOBERTAS

Quando o homem tenta "decifrar" uma vontade decretada (mas secreta) de Deus, só pode produzir confusão. A resposta está no princípio de Deuteronômio 29.29: *As coisas encobertas pertencem ao Senhor, o nosso Deus, mas as reveladas pertencem a nós e aos nossos filhos para sempre, para que sigamos todas as palavras desta lei*. Ou seja, existe a vontade revelada de Deus, que é a sua Palavra, e cabe aos filhos de Deus segui-la em obediência. Também existe a vontade não revelada de Deus, que pertence somente a ele e inclui seu plano individual para questões de namoro ou casamento.

Os eventos que constituem o plano individual de Deus são secretos aos cristãos, com exceção dos exemplos esclarecidos pela própria Bíblia. Portanto, torna-se necessário distinguir dois aspectos da vontade de Deus como já previamente mencionado. De acordo com Deuteronômio 29.29, existem apenas dois tipos de abordagem para a vontade de Deus: revelada e não revelada.

A vontade de Deus não revelada é a providência divina que atua de forma misteriosa e sua descoberta não é encorajada em lugar algum da Bíblia. Já a vontade de Deus revelada constitui-se na Palavra de Deus, revelada para a obediência dos filhos de Deus e que deve ser buscada (Ef 5.17). Existe uma liberdade de escolha dentro da vontade revelada de Deus que exige do cristão sabedoria no discernimento dos princípios claramente revelados na Palavra. Então, as decisões são resultados da condução de sua vontade não revelada e secreta aos homens manifesta através da obediência, ou não, à vontade revelada.[48]

Deus inclina os corações e decisões para que seu perfeito propósito na história da humanidade seja cumprido (Pv 16.9; 21.1). De alguma forma misteriosa, isso não invalida a responsabilidade individual do homem por suas ações (cf. Lc

---

[48] A vontade revelada de Deus também é chamada de vontade moral de Deus. Trata-se do conjunto de princípios e instruções revelados na Palavra de Deus que instruem como seus filhos devem conduzir suas vidas. De acordo com essa definição, é possível que alguém esteja fora da vontade moral de Deus, ou seja, em desobediência à sua Palavra. Porém, é impossível estar fora da vontade divina soberana.

22.6,22), nem coloca Deus em posição de submissão às decisões humanas. Ele é Soberano.

Ao jovem pertence a responsabilidade de buscar a vontade de Deus claramente revelada na Palavra, e descansar na sabedoria e soberania de Deus quanto à vontade "escondida." Portanto, os cristãos devem ocupar-se em cumprir a vontade revelada de Deus na Bíblia (Dt 29.29; Cl 1.9-12; 1Ts 2.13). Não há nenhuma ordem bíblica para buscar descobrir a vontade específica de Deus sobre um plano ideal imaginado e condicional. Como em qualquer outra área da vida, as decisões que envolvem o namoro devem ser feitas baseadas na vontade revelada de Deus, que os seus filhos têm obrigação de buscar compreender e obedecer. Já é muito termos que nos preocupar com a vontade de Deus revelada, sem procurar desvendar os mistérios da sua vontade decretada! Esse fato deve trazer muito alívio para o jovem ansioso sobre seu namoro, noivado e casamento.

ORIENTAÇÃO DIVINA EXTRABÍBLICA

Também baseados no temor em errar uma suposta "vontade ideal de Deus", muitos procuram orientações em fontes extrabíblicas. Em uma sociedade orientada pelas emoções, os cristãos são, como todos, facilmente levados pela "voz interior" que clama dentro de seus corações, e interpretam-na como sendo a voz de Deus ou do Espírito Santo.

As consequências de uma teologia baseada em impressões subjetivas acerca da vontade de Deus são catastróficas dentro do processo de namoro e casamento. Baseados em uma ideia de que as circunstâncias irão guiar o cristão ao criar uma convicção sem hesitação, muitos têm ouvido a suposta "voz de Deus" e caído em deliberado pecado porque confundiram a voz divina com as vozes de uma carne alimentada pelas pressões relacionais e socioculturais suscetíveis às paixões do mundo.

Jovens têm dado ouvidos a ditas profecias de casamento ou a voz da "paz interior" e tomado decisões tolas com relação ao namoro e casamento. De fato, Deus controla todas as circunstâncias, mas o cristão não deve esperar que circunstâncias orientem suas vontades e decisões.

QUANDO TUDO VAI MAL...

Um bom exemplo disso é a interpretação das adversidades. Uma boa criatividade misturada com um coração pecaminoso pode criar inúmeras interpretações para as adversidades debaixo da teologia das "portas abertas e portas fechadas". As adversidades podem ser resultado da disciplina de Deus (1Co 11.30; Hb 12.5-11), como também podem ser resultantes da preocupação divina em equipar cristãos para ministrar a outras pessoas (2Co 1.6). Além disso, os filhos de Deus frequentemente agiram de forma contrária às circunstâncias (1Sm 24; 26.5-12; Lc 18.1ss; Rm 1.13; 2Co 2.12,13); eles agiram contra as mensagens baseadas em visões (At 21.4) de forma a obedecer preceitos revelados. Quando as circunstâncias eram favoráveis, Davi recusou-se a matar Saul, ele agiu de acordo com a Palavra de Deus.[49]

Portanto, a interpretação definitiva das circunstâncias é uma tentativa de adivinhar a vontade secreta de Deus, não revelada aos seus filhos. Isso se refere à orientação providencial de Deus e seus decretos, não à vontade revelada dele.

PAZ, PAZ

Além da interpretação equivocada das circunstâncias, outros elementos considerados como orientações extrabíblicas são: a revelação direta do tipo "Deus falou comigo", a dita "orientação do Espírito Santo," a teologia das "portas abertas, portas fechadas", como mencionado acima, uso de testes como os de Gideão com a lã (Jz 6), sonhos e visões, a voz interior e a paz de

---

[49] BAKER, Alvin L. *Knowing the will of God*. The Journal of Pastoral Practice, 1985, p. 30.

Cristo.[50] Cada um desses elementos constrói suas supostas bases bíblicas em uma interpretação equivocada de textos bíblicos.

Por exemplo, a teologia da paz de Cristo tem sua base em Colossenses 3.15: *que a paz de Cristo seja o juiz em seu coração, visto que vocês foram chamados para viver em paz, como membros de um só corpo*. O texto é comumente usado como um dos textos-prova[51] para defender a presença da subjetiva "paz de Cristo" no processo decisório. No entanto, o contexto do versículo esclarece a natureza da paz de Cristo em questão. Não há promessas que cristãos serão orientados por qualquer tipo de paz subjetiva referente ao namoro ou a qualquer assunto. O contexto indica que a passagem exorta seus leitores ao cultivo da paz no relacionamento com os irmãos: *suportem-se uns aos outros e perdoem as queixas que tiverem uns contra os outros.*[52]

O problema comum por trás de cada uma dessas supostas orientações acerca da vontade de Deus é a inevitável minimização do lugar da Palavra de Deus no processo decisório. A verdade máxima de Deus é colocada de lado para dar lugar a impressões subjetivas e individuais acerca da interpretação de algum evento passado ou presente.

A VOZ QUE VAMOS OUVIR

A questão que jovens solteiros devem responder é se Deus orienta a decisão sobre namoro e casamento fora de sua Palavra ou não. A própria Bíblia ensina que tudo o que é necessário para a vida e a piedade é encontrado em Cristo Jesus e no conhecimento de sua pessoa através das Escrituras (2Pe 1.3). Portanto, buscar orientações, informações ou confirmações além da Palavra de Deus é crer que a revelação divina ainda não cessou e que elementos com o mesmo

---

[50] YODER, Allen. MABC *Thesis: Ministry candidate evaluation*. Santa Clarita: The Master's College, 2005, pp 85-95.

[51] Texto-prova refere-se ao mal uso de passagens bíblicas para fundamentar ideias pre--concebidas. Ou seja, é a prática de impor ao texto bíblico um significado compatível com a mensagem do próprio intérprete e não de acordo com o significado do próprio texto.

[52] Colossenses 3.13, ss.

nível de autoridade das Escrituras ainda podem ser confeccionados através de impressões, emoções, sonhos e outros meios.

Cremos que existe um caminho muito mais seguro, menos confuso e mais objetivo para guiar jovens na decisão do namoro, noivado e casamento, que apresentaremos nos próximos capítulos.

RESUMINDO

1. Deus revelou sua vontade em sua Palavra.
2. A busca pela vontade de Deus é motivada pelo desejo de agradar a Deus e não pelo medo de enfrentar sofrimento futuro.
3. O sofrimento presente ou futuro é um instrumento poderoso de santificação nas mãos de Deus.
4. O jovem é responsável por buscar a vontade de Deus revelada na Bíblia e descansar na sabedoria e na soberania de Deus quanto à vontade "escondida".
5. A Palavra de Deus é a única fonte de revelação direta por parte de Deus.

PARA DISCUSSÃO

1. Qual a diferença entre a vontade REVELADA de Deus e a vontade ENCOBERTA? Qual a responsabilidade do homem diante da vontade revelada de Deus? Diante da vontade encoberta (Dt 29.29)?
2. Qual dos "mitos" expostos no capítulo você é mais tentado a seguir?
3. Quais são os métodos comuns que pessoas usam para "decifrar" ou "descobrir" a vontade de Deus?
4. Como a teologia da prosperidade pode criar confusão e dúvida quanto à vontade de Deus quando uma decisão parece "não dar certo"?

10. ESSA É A VONTADE DE DEUS!

Os jogadores pareciam perdidos em campo – inseguros, travados. Tinham sonhado e se preparado para essa final de campeonato há meses. Mas, por alguma razão, pareciam mais preocupados em não errar do que em acertar o gol. Talvez fosse a ansiedade, talvez o medo de levar uma bronca do técnico e perder o lugar no time titular. De qualquer jeito, faltava-lhes a criatividade e a fluidez do jogo, razão porque chegaram no final com o placar de 4 a 0.

Quando ficamos preocupados em *não errar* perdemos o foco, a alegria e a liberdade de atacar o gol.

Quando se trata da vontade de Deus, algumas pessoas ficam tão preocupadas em não errar, que deixam de jogar! Ou seja, não desenvolvem a liberdade e a criatividade que Deus lhes deu dentro da sua vontade revelada. Esse medo pode nos paralisar.

A vontade de Deus revelada não é para nos travar, mas sim, fazer com que nos soltemos dentro do campo. É no campo onde temos liberdade de jogar e atacar o gol. Fora, só esquentamos o banco.

Neste capítulo queremos entender como é o "campo" que Deus delimitou e algumas regras do jogo.

Se a vontade de Deus que nos pertence já foi revelada, onde começar? Certamente todos os 66 livros da Bíblia constituem a "matéria-prima" que teremos de estudar para o resto das nossas vidas. Então, convém iniciar, especialmente nas decisões sobre namoro, com o estudo da frase bíblica "essa é a vontade de Deus". Encontramos essa frase (ou outra paralela) somente quatro vezes na Bíblia. Um bom começo seria verificar se estamos realmente andando "no centro da vontade de Deus já revelada":

- A vontade de Deus é nossa salvação (2Pe 3.9).
- A vontade de Deus é nossa sede por Deus (1Ts 5.16-18).
- A vontade de Deus é nossa santificação - pureza moral (1Ts 4.1-8).
- A vontade de Deus é nossa submissão às autoridades em nossa vida - pais, pastores, poderes civis (1Pe 2.13-17).

Em cada um desses textos, Deus fala: *Essa é a minha vontade!* Cada declaração é como os limites de um campo de futebol. O jovem que conduz sua vida "dentro das quatro linhas" está livre para atuar no jogo (desde que dentro das regras do futebol). Fora, o que faz "nem conta". Dentro, pode chutar, driblar, fitar e passar. Existem jogadas melhores e piores em termos do alvo final: marcar gol e ganhar o jogo. Mas existem inúmeros meios para alcançar o fim. A vontade de Deus é assim: existem limites no campo, regras a serem seguidas e princípios claros para a melhor jogada. Mas também existe liberdade, criatividade e, acima de tudo, um "Técnico" que consegue organizar tudo para sua própria glória.

Vamos trabalhar dois desses "limites no campo", a santificação e a submissão às autoridades, e como se aplicam a questões de namoro e noivado.

Essa é a vontade de Deus!

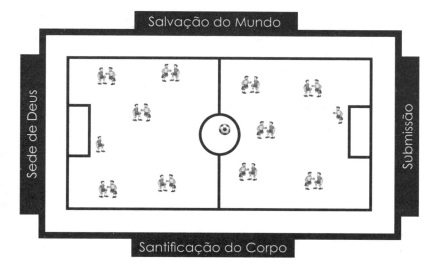

VIDA PURA?

Veja bem: jogar dentro dos limites do campo segundo "a vontade de Deus" talvez tenha mais implicações para o namoro do que você imagina. Por exemplo, em termos de pureza moral ("santificação") Deus deseja que sejamos moralmente puros, sem as manchas deste mundo, especialmente na área sexual. Pureza moral é uma luta para todos.

Para verificar se estamos "em campo", podemos começar avaliando nossos hábitos e padrões de entretenimento: TV, música, filmes, revistas, sites, salas de *chat*, piadas sujas ou de "duplo significado". Também devemos avaliar a maneira como conduzimos nosso namoro.

A tarefa do cristão que deseja genuinamente cumprir a vontade de Deus é buscar a santificação (1Ts 4.3), alcançada por meio de uma vida marcada por devoção, oração e estudo da Palavra. Somente pela Palavra de Deus o cristão irá discernir a vontade revelada de Deus para poder andar em obediência a ela. A Bíblia é repleta de exemplos de pessoas que desejaram a vontade revelada de Deus e oraram de acordo com ela (Sl 119.18,33,34; Ef 1.16-18; 3.14-19; Fp 1.9-11; Cl 1.9-12). Foram pessoas que cumpriram a carreira divina proposta explicitamente na Palavra porque buscaram o pão do céu (Jo 6.32).

O fato de alguém experimentar pressões sexuais, tentações e pensamentos impuros não significa que está desqualificado a descobrir a vontade de Deus. Pelo contrário, o ponto de partida para viver sua vontade é **lutar** contra essas pressões (Rm 6.11-14). A vontade moral de Deus é um coração santo perante ele.

QUEM É QUE MANDA?

Outro exemplo se relaciona com pessoas que são autoridades em nossa vida. Deus usa essas pessoas para nos direcionar dentro da sua vontade. Sendo assim, devemos consultar e nos submeter às autoridades que Deus colocou sobre nós. Devemos nos perguntar se nossa atitude para com nossos pais têm sido de honra ou desonra no que diz respeito ao namoro. Temos buscado o conselho de líderes espirituais que Deus colocou em nossas vidas? Esse é o caminho correto para acertar a vontade de Deus.

Jovens solteiros que confiam em informações extrabíblicas tornam-se presas fáceis da cobiça de seus próprios corações e vulneráveis aos ataques do inimigo em suas vidas (Jr 17.9). As escolhas relacionadas a namoro e casamento devem ser construídas tendo como base o padrão divino de escolha e dentro da liberdade concedida por Deus aos seus filhos.

UMA INCOERÊNCIA

Quando Deus claramente revela sua vontade para nossas vidas e ignoramos as instruções que ele pela sua infinita graça e misericórdia nos deu, parece o auge de arrogância insistir que ele nos dê ainda mais informação. Por exemplo, falando de jovens que persistem numa vida de impureza sexual, mas clamam para Deus revelar-lhes sua vontade, os autores Bob Tissot e Alex Rahill comentam:

Essa é a vontade de Deus!

Se você não vai bem [na área de pureza moral que Deus claramente declara ser a vontade dele para sua vida], mas mesmo assim pede que a vontade de Deus para sua vida lhe seja revelada, precisa perguntar por que ele iria lhe revelar a vontade que você não conhece quando você não é obediente àquela que já conhece![53]

Então, como trabalhar a questão do namoro dentro desta ótica da vontade de Deus já revelada na Bíblia? Uma vez que confirmamos que a direção da nossa vida está em harmonia com a vontade de Deus revelada na Palavra dele, temos condições para tomar decisões em áreas "amorais". Este é o aspecto mais "subjetivo" da vontade de Deus que tanto nos preocupa. Desde que estejamos andando dentro da vontade moral de Deus, há muito espaço e bastante liberdade para tomarmos decisões sobre nosso futuro. Mas ainda existem algumas peneiras que nos ajudarão a tomar a melhor decisão dentro de opções aparentemente boas.

1. Em cada decisão que tomamos, devemos começar com uma pergunta: Existe algum princípio bíblico que fala sobre esta questão? Quase sempre alguns princípios bíblicos se aplicarão, direta ou indiretamente, às decisões que precisamos tomar. Erramos por não conhecermos a Palavra de Deus!

2. Devemos aquietar nosso coração na presença de Deus, buscando-o em oração e em total dependência dele. Foi isso que o próprio Senhor Jesus fez. Quando Jesus selecionou os doze discípulos entre muitos seguidores, lemos que *retirou-se para o monte a fim de orar e passou a noite orando a Deus* (Lc 6.12). Na manhã seguinte, chamou os doze que designou apóstolos. A escolha foi uma decisão não moral, mas Jesus precisava gastar uma noite inteira em silêncio perante o Pai para buscar a vontade dele.

A decisão de namoro encontra-se dentro do campo do governo divino de acordo com a definição e textos indicados

---

[53] TISSOT, Bob; RAHILL, Alex. *Sex, purity and holiness*, pp. 14,15.

125

acima. Isso não deve ser motivo de desânimo para o cristão ou de displicência na oração. Muito pelo contrário, a Bíblia é repleta de histórias de homens e mulheres que diante de manifestações explícitas da providência divina foram motivados à oração (1Rs 17.1; Tg 5.17,18), gratidão (Ef 1.4-7,11), humildade (Dn 4.35), coragem (Dn 3.17,18) e até encontraram esperança em meio à oposição de adversários (Rm 13.1-7).

A igreja primitiva também reconhecia a importância de orar e jejuar frente a decisões difíceis. Em Atos 13.1,2 lemos a respeito da escolha dos primeiros missionários da igreja de Antioquia: *E servindo eles ao Senhor, e jejuando, disse o Espírito Santo: Separai-me agora a Barnabé e a Saulo [Paulo] para a obra a que os tenho chamado.* O "serviço ao Senhor" provavelmente se refere à oração que acompanhava o jejum. (O mesmo cenário se repete na escolha de líderes em Atos 14.23). Decisões muito importantes precisam ser acompanhadas por um tempo de silêncio, uma expressão de total dependência do Senhor e não uma tentativa de "torcer o braço" de Deus para satisfazer o desejo do nosso coração.

3. Devemos consultar a "multidão de conselheiros" sábios. Esse último passo na descoberta da vontade de Deus, quando a Palavra de Deus não fala especificamente sobre um assunto, vem através de um conjunto de fatores que podemos nomear de "índices de sabedoria". O coração sábio é um coração que tem bom senso treinado pela própria Palavra, experiência de vida e avaliação de circunstâncias à luz de princípios bíblicos.

Provérbios ressalta o que talvez seja o aspecto crucial de um coração sábio: a multidão de conselheiros que dá segurança e confiança ao tomar decisões (Pv 11.14, 15.22, 24.6). Note que na multidão de conselheiros (bons e sábios!) há sabedoria – não necessariamente a resposta "certa" para cada decisão. "A voz do povo" não necessariamente representa "a voz de Deus". Deus capacita pessoas ao nosso redor, que nos conhecem, que conhecem a Deus e sua Palavra, para nos direcionar dentro da sua vontade. Somente um tolo ignora a opinião de conselheiros sábios. Como já destacamos, as autoridades que Deus coloca em nossas vidas são os primeiros "conselheiros", vozes sábias que podem nos dar maior segurança na busca da vontade de Deus.

Então, resumindo, o que podemos dizer sobre a vontade de Deus e seu namoro?

1. Não precisa se preocupar em achar "aquela pessoa", a "única" que Deus separou desde a eternidade passada para que vocês passem toda a vida juntos (Dt 29.29).
2. Deve preocupar-se, sim, com a vontade de Deus claramente revelada na Palavra (Ef 5.17).
3. Uma vez "dentro da vontade revelada de Deus", deve agir em dependência de Deus (oração), debaixo das autoridades que Deus colocou em sua vida e com sabedoria (conselheiros dignos e bíblicos).
4. Deve, então, tomar decisões confiante e alegremente, sem dúvidas ou "segundos pensamentos", vivendo com gratidão em meio às consequências da decisão, debaixo da soberana e bondosa mão de Deus.

DECISÃO QUE AGRADA AO SENHOR

A partir da suficiência das Escrituras, é possível avaliar uma teologia para a tomada de decisão que leva em consideração os conceitos bíblicos de providência e também a responsabilidade humana em Cristo Jesus. É essa teologia que deve ser aplicada ao processo de namoro e escolha do cônjuge. As Escrituras ensinam:

1. Deus tem um plano específico para a vida de cada um e
2. os eventos e escolhas da vida trabalham de forma irresistível e soberana em favor desse plano.[54]

---

[54] PETTY, Jim. *Guidance and the plan of God*. Glenside: The Journal of Biblical Counseling, 1999, p. 37.

RESUMINDO

1. A vontade de Deus revelada não é para nos travar, mas, sim, fazer com que nos soltemos dentro dela.
2. A primeira preocupação na "descoberta" da vontade de Deus deve ser a vontade objetiva e revelada na Palavra.
3. A frase "essa é a vontade de Deus" sugere um ponto de partida para o jovem verificar se está "dentro" da vontade de Deus ou não.
4. Uma vez confirmada a permanência na vontade revelada por Deus nas Escrituras, outros fatores podem ajudar no processo de tomar uma decisão sábia (multidão de conselheiros, tempo a sós com Deus etc.).

PARA DISCUSSÃO

1. Até que ponto realmente somos livres dentro do "campo" da vontade de Deus delimitado pela Palavra? Esse fato serve de encorajamento ou desânimo? Alívio ou tensão?
2. Qual o papel das autoridades em direcionar um casal de jovens interessados no namoro e/ou noivado? E se os pais não concordarem com o namoro? Existe a possibilidade de um namoro não aprovado pelos pais ser a vontade de Deus?
3. Quais os perigos em consultar muitas pessoas sobre as decisões da vida?
4. Se "errarmos a vontade de Deus", significa que passaremos o resto da nossa vida aquém do ideal de Deus para nós?

11. "COM QUEM SERÁ?"

"Com quem será?
Com quem será?
Com quem será que a [Fulana] vai casar?
Vai depender,
Vai depender,
Vai depender se [Sicrano] vai querer!"

A música infantil cantada em festas de aniversários já revela parte da curiosidade que cerca questões de casamento desde cedo na vida. Uma delas: "Casar, ou não casar: eis a questão!" A escolha de casar-se ou não se encontra dentro de um campo de liberdade deixado por Deus. De acordo com os princípios de sabedoria e santidade deixados pela Palavra de Deus, a primeira decisão que precisa ser tomada é se o casamento é ou não uma opção a ser buscada. Os ensinamentos de Jesus e Paulo quanto ao celibato colocam essa decisão no campo da liberdade cristã.

Jesus ensinou que tanto ser solteiro ou casado é aceitável a Deus. Casamento não é mandamento para ninguém; nem abstenção ao casamento, até mesmo para o benefício do reino de Deus (Mt 19.11).[55] Paulo repete a mesma ideia em 1Coríntios 7. Ele não impõe mandamento algum sobre os coríntios quanto à decisão de casar-se ou não. Suas ordens referem-se a como proceder se casado ou solteiro. Em 1Coríntios 7.35, Paulo deixa claro que suas orientações não são ordens explícitas, mas suas razões para manter-se solteiro referem-se apenas a uma questão de conveniência espiritual dentro do contexto histórico em que os leitores originais estavam envolvidos.

O foco de sua exposição é o uso da presente situação para a glória de Deus (1Co 7.24), através de uma atenção ao serviço consistente e dedicado a ele. Independentemente da decisão tomada quanto à busca ou não de casamento, o cristão é chamado para servir a Deus em seu presente estado, cumprindo assim o chamado de Deus revelado para sua vida nas Escrituras. Portanto, a mudança de solteiro para casado não é uma preocupação que deve consumir o solteiro. Mas sim a busca por um serviço fiel a Deus.

Uma vez que a possibilidade de casamento é considerada, o cristão é chamado a um padrão de sabedoria na escolha do candidato a cônjuge. Nesse processo, a sabedoria bíblica é suficiente para conduzi-lo numa escolha santa dentro da vontade revelada de Deus e de suas preferências pessoais santificadas.

ESPELHO RETROVISOR: CONSELHO DOS PAIS

Em 1Coríntios 7.36-38 há alguns indícios culturais e de sabedoria sobre o processo de escolha do cônjuge. Nesse trecho, Paulo comenta a importância do envolvimento dos pais dentro de uma cultura onde eles decidiam o futuro cônjuge para seus filhos. Considerando os limites culturais da passagem, a análise desses versículos permite a observação de um princípio que pode ser aplicado ao namoro hoje.

Os pais de uma família estruturada devem buscar o melhor para seus filhos dentro da vontade revelada de Deus. De certa

---

[55] FRIESEN, Garry. *Decision making and the will of God*, p. 287.

"Com quem será?"

forma, os pais estão menos suscetíveis às emoções que envolvem seus filhos e, portanto, melhor posicionados para ajudá-los. São como um espelho a mais no carro, que permite enxergar pontos cegos para evitar um acidente trágico. Esse princípio pode ser um importante aliado para o cristão que busca uma escolha sábia no que se refere ao namoro e ao casamento.

O JUGO IGUAL

Paulo também deixa claro o primeiro mandamento acerca da vontade de Deus revelada quanto ao casamento. O texto de 1Coríntios 7.39 ensina que o casamento deve ser feito no Senhor, ou seja, cristãos devem casar-se apenas com outros cristãos. Esse não é um mandamento restrito apenas às viúvas, mas que se aplica também às viúvas por ser um mandamento para os cristãos.

Em 2Coríntios 6.14-16 encontramos outra passagem que, por inferência, ensina essa primeira exigência bíblica para o namoro e o casamento. É uma decisão que o cristão deve tomar apenas com outra pessoa da mesma fé. O texto é claro em dizer que não pode haver sociedade entre a justiça e a iniquidade, comunhão entre a luz e as trevas, harmonia entre Cristo e o Maligno, união do crente com o incrédulo ou ligação entre o santuário de Deus e os ídolos. Todavia, muitos cristãos insistem em procurar namoro e casamento fora da vontade revelada de Deus, portanto, irão encontrar apenas o caminho difícil do pecado. Procurando satisfazer suas paixões e aliviar pressões relacionais ou socioculturais, muitos cristãos se envolvem num relacionamento de jugo desigual para entrar debaixo da disciplina divina contra o pecado, se de fato são filhos de Deus (Hb 12.7).

Além de desobedecer ao mandamento claro e direto da Palavra de Deus, a união de um cristão com um incrédulo irá trazer desgosto dentro do relacionamento. As consequências de um relacionamento desigual vão além do sofrimento do próprio casal. Os filhos resultantes de uma união entre luz e trevas irão sofrer sem um referencial de família nos padrões do Senhor e perderão o modelo bíblico de uma família cristã.

Existem sabedoria e propósito nesse claro mandamento da Palavra de Deus: não há namoro e casamento santos entre luz e trevas. Não há qualquer possibilidade de um relacionamento assim cumprir o propósito da aliança do matrimônio. A aliança de companheirismo do casamento é o relacionamento mais íntimo em que dois seres humanos podem entrar.[56] Porém, um cristão e um incrédulo não são diferentes apenas na superfície, mas no mais profundo íntimo. Não existe qualquer possibilidade de um relacionamento de jugo desigual produzir os frutos desejados por Deus em seu projeto original. Trataremos mais desse assunto num capítulo posterior.

SABEDORIA BÍBLICA

Estabelecido o limite na variedade das opções para o namoro e o casamento dentro da família de Deus, o cristão precisa aplicar a sabedoria bíblica em suas escolhas nessa direção. A tentação para confiar em impressões e atrações pessoais longe da Palavra de Deus é forte, mas a sabedoria clama para que os primeiros passos dessa decisão sejam dados dentro da observação dos princípios da Palavra de Deus.

A sabedoria bíblica mostra os propósitos do casamento, os diferentes papéis do marido e da esposa e suas respectivas responsabilidades. Entender cada um desses pontos irá orientar o jovem e o solteiro numa busca por casamento orientada pela vontade revelada de Deus.[57]

É mais fácil para o homem casar-se com uma mulher que possibilite o cumprimento de seu papel como marido em harmonia familiar e vice-versa. Se a mulher terá que submeter-se ao seu

---

[56] FRIESEN, Garry. *Decision making and the will of God*, p. 303.

[57] Por exemplo: Salmo 112; Provérbios 31.10-31; Efésios 5.22-33; Colossenses 3.18-19; e 1Pedro 3.1-7.

"Com quem será?"

marido (Ef 5.22-24), seria sábio avaliar o candidato a casamento, procurar responder se é esse tipo de homem e se são as convicções que, à luz da Bíblia, ela entende que deva seguir. Dentro desse ponto, os candidatos a namoro devem conversar sobre convicções doutrinárias, papéis dentro do lar, criação de filhos, planejamento familiar e objetivos profissional e pessoal.

Um casamento que glorifica a Deus é aquele que maximiza o potencial dos propósitos divinos para a família que se forma. Sendo assim, é fundamental a sabedoria na escolha de um cônjuge que tem um coração voltado ao crescimento em obediência, ao conhecimento de Deus e ao serviço diligente a ele.

CARÁTER CRISTÃO E CONSELHEIROS

O texto de Provérbios 31.30 é um exemplo claro dos padrões divinos de excelência de caráter. À luz da Bíblia, a atração de um cristão, ou aquilo que ele procura em alguém para estabelecer casamento é a excelência de caráter. Isso é muito diferente das pressões relacionais e socioculturais construídas fora da vontade de Deus e discutidas anteriormente.

A ajuda de conselheiros dispostos a auxiliar pessoas a andar com Cristo é extremamente útil dentro dessa decisão (Pv 13.10; 15.22). Conselheiros que conheçam bem o casal podem ser fundamentais para auxiliar na identificação de áreas cegas que passam despercebidas pelos envolvidos. São áreas que precisam ser lidadas para a glória de Deus e para o benefício dos namorados ou candidatos a namoro. Além disso, conselheiros podem ser úteis na identificação, construção e prática de um propósito de vida comum entre os namorados e candidatos ao casamento.

BOM SENSO

Somado à sabedoria bíblica e aos conselheiros, existe o bom senso que pode contribuir de forma significativa dentro desse processo. Normalmente, o bom senso bem regulado por uma consciência treinada biblicamente irá auxiliar na conciliação de afinidades e preferências pessoais dentro do relacionamento. Embora a apreciação da beleza, personalidade e demais gostos possam estar profundamente afetados por pressões do mundo, preferências renovadas que enfatizam aspectos de caráter podem ser usadas como ingredientes relevantes no processo decisório. Deus criou sentimentos de admiração distintos que podem ser exercidos dentro de uma busca por santidade em uma mente constantemente renovada pela Palavra.

No entanto, o uso do bom senso não deve ser confundido com um estudo de compatibilidade, termo que carece urgentemente de uma visão bíblica. Normalmente, compatibilidade é entendida como a facilidade com que personalidades diferentes se entendem ou formam um harmonioso casal. Tal conceito pode ser perigoso, colocando os envolvidos debaixo de uma mentira social que está longe dos fatos bíblicos.

A Palavra de Deus já apresenta homem e mulher como pecadores e dessa forma, incompatíveis. Os conflitos irão surgir como resultado de corações que buscam seus próprios desejos (Mc 7.20-23; Tg 4.1, 2). Portanto, para que duas pessoas sejam compatíveis, no verdadeiro sentido da palavra, devem primeiro nascer de novo e esforçar-se (pela graça de Deus) para se tornarem compatíveis. As pessoas não nascem compatíveis; tornam-se compatíveis pela ação santificadora do Espírito Santo em suas vidas.[58]

A ESSÊNCIA DA QUESTÃO

Podemos finalizar dizendo que a escolha pelo cônjuge obedece dois princípios fundamentais nas Escrituras:

1. ter a mesma fé e
2. demonstrar disposição (e habilidade) de lidar com os problemas biblicamente.

---

[58] ADAMS, Jay. *A vida cristã no lar*. São. José. dos Campos: Fiel, 1996, p. 67.

O Salmo 128.1 resume as duas ideias quando diz: *Bem-aventurado todo aquele que teme ao SENHOR e anda nos seus caminhos!*

De fato, preferências e gostos semelhantes tornam o relacionamento mais atraente, mas isso é matéria de preferência pessoal e não de essência. Sem a capacidade de resolver problemas biblicamente, qualquer casal "compatível" tornar-se-á incompatível.

Então, a decisão de namoro e casamento deve descansar na providência divina que é perfeita e sempre cumpre o propósito de construir em cada um de seus filhos os traços do caráter de Cristo. Os relacionamentos mostram-se ferramentas úteis nas mãos de Deus para a construção de um caráter que aprende a confiar nos propósitos divinos. Enquanto homens e mulheres buscam a Deus de todo o coração, ele inclina corações e decisões para sua própria glória.

Portanto, cabe ao cristão aproximar-se sempre de Deus, que se mostra presente e torna-se galardoador dos que o buscam (Hb 11.).

RESUMINDO

1. A mudança de estado civil não é uma preocupação que deve consumir o solteiro, mas sim a busca por um serviço fiel a Deus.
2. Os pais de uma família estruturada devem buscar o melhor para seus filhos dentro da vontade revelada de Deus.
3. Cristãos devem casar-se apenas com outros cristãos.
4. Um casamento que glorifica a Deus é aquele que maximiza o potencial dos propósitos divinos para a família que se forma.
5. Conselheiros que amam a Deus e ao casal são ferramentas úteis no processo de direção quanto ao casamento.

PARA DISCUSSÃO

1. O jovem cristão deve preocupar-se em achar "aquela" pessoa especial que Deus planejou para ele ou ela? Até que ponto há liberdade nesta escolha?

2. Interaja com essa declaração: "A mudança de solteiro para casado não é uma preocupação que deve consumir o solteiro. Mas sim a busca por um serviço fiel a Deus."

3. No final do capítulo, é sugerido que existem dois princípios fundamentais como pré-requisitos para o casamento: ter a mesma fé e ter disposição de lidar com problemas biblicamente. Você concorda? Consegue pensar em outros princípios essenciais para se casar?

4. Dos passos sugeridos na decisão sobre namoro, noivado e casamento, qual é mais prático e qual é mais difícil: conselho dos pais, jugo igual, sabedoria bíblica, multidão de conselheiros ou bom senso?

12. ENQUANTO SÓ

Pastor:
Acho que sou "diferente". Tenho 24 anos, já me formei, tenho um bom emprego, mas não consigo me interessar por ninguém. Não sou homossexual! Simplesmente não tenho interesse em desenvolver um relacionamento com o sexo oposto. O que devo fazer?

Infelizmente, nossa cultura dita a seguinte regra: para ser uma pessoa realizada é preciso ter um companheiro. Da regra surge a falsa ideia de que o verdadeiro significado da vida é a realização sexual. Um exemplo disso são as propagandas que aparecem a cada semana em algumas das principais revistas do Brasil que dizem: "Sexo é vida!" Entristece-nos muito ver essas ideias mundanas e idólatras circulando na própria igreja.

Sem dúvida uma das grandes questões que os jovens para quem ministramos enfrentam é a "solteirice". Trata-se de um desafio que atinge tanto homens quanto mulheres, embora as jovens talvez fiquem mais desesperadas por causa dos próprios "tabus" culturais, que limitam a atuação da mulher na procura de um cônjuge. Simplesmente fica mais difícil para a mulher tomar iniciativas no que se refere a relacionamentos com o sexo oposto.

Alguns fatores agravam a situação:
- Comentários feitos pelos próprios "amigos" e parentes, tais como: "Você não se casou ainda?" "Não está na hora de você arranjar um namoradinho?"
- Limitações impostas pela igreja e pela própria Bíblia, tais como *não vos ponhais em jugo desigual com os incrédulos* (2Co 6.14).
- A falta de oportunidades de conhecer outros jovens cristãos comprometidos com Deus e com sua Palavra.
- A mídia que deixa a impressão de que algo deve estar errado com você, já que você não consegue atrair alguém.

A perspectiva bíblica é diferente, e precisa ser resgatada. Conforme o apóstolo Paulo, ser (ou estar) solteiro não é como ter cólera ou a chamada "gripe suína"! Em 1Coríntios 7 ele deixa claro que o CELIBATO é um chamado privilegiado, e deve ser a PRIMEIRA OPÇÃO para todos antes de considerar o casamento. De forma implícita reconhece que provavelmente será a exceção e não a regra, e encara a decisão entre "solteirice" e "casamento" como sendo uma questão de dom e chamado para a glória de Deus e a expansão do Reino (7.7).

Em termos de serviço para o Reino de Deus, é preferível continuar livre das preocupações conjugais e familiares a fim de se dedicar de corpo e alma à obra de Deus (1Co 7.8). Paulo acrescenta um porém, a tentação sexual, que pode distrair o solteiro ao ponto de incapacitá-lo de servir o Reino "de corpo e alma". Os desejos do corpo interferem no trabalho com almas.

Devido às paixões sexuais e ao desejo por companheirismo a maioria dos jovens se casa. Mas a maioria não deve menosprezar a minoria privilegiada e capacitada por Deus que escolheu manter-se sexualmente pura e solteira com a finalidade de servir de corpo e alma o Reino de Deus.

A implicação deste texto é que o normal no plano de Deus é o casamento, por causa dos desejos sexuais dados por Deus.

Enquanto só

Mas existem alguns que, por chamado e dom de Deus, têm uma capacidade sobrenatural de permanecerem puros, no celibato. Essas pessoas têm grande vantagem, pois poderão se dedicar 24 horas por dia à causa do Mestre.

Enquanto alguém descobre se tem ou não o dom de permanecer solteiro, ele enfrenta dificuldades. A questão é como viver puro com os desejos sexuais ou como achar uma pessoa com quem servir a Deus? Todos viverão pelo menos uma porção razoável de suas vidas como solteiros, então devem desenvolver uma estratégia bíblica para usar esse período para a glória de Deus.

Podemos afirmar o seguinte:

1. É possível viver sem sexo. Certamente Deus exige e também capacita o solteiro a viver assim. Para isso é preciso que o jovem crie hábitos de vida que evitem ao máximo as situações de grande tentação (programas de TV, músicas que fazem mal, revistas pornográficas etc.).

2. O jovem solteiro precisa orar muito e confiar de todo o coração na soberania de Deus, que há de suprir todas as suas necessidades na hora devida. É absolutamente imprescindível fugir da mentira que diz que ficar solteiro é a pior praga que poderá acontecer na vida de alguém. É só olhar para a miséria de um casamento ruim e descobrir o que é pior: ser solteiro durante alguns anos ou mal casado para o resto da vida?

3. O jovem solteiro que deseja casar e desconfia de que seja essa a vontade de Deus, deve fazer a sua parte. Nessa situação encontramos a soberania de Deus e a responsabilidade do homem lado a lado. Esse jovem terá a responsabilidade de participar de intercâmbios com a mocidade de outras igrejas; frequentar retiros, acampamentos e congressos jovens; participar de estudos bíblicos; matricular-se em cursos teológicos etc.

4. Enquanto solteiro, o jovem deve prosseguir com seus planos de vida como se nunca fosse se casar, mas, ao

mesmo tempo, desenvolver qualidades de caráter e "beleza interior" (não seria tão ruim se desse um pouco de atenção para o exterior também!) para poder ser o melhor cônjuge possível, se Deus o permitir.

Se Deus lhe deu a capacidade de continuar solteiro, sem distrações sexuais, mas com foco único e exclusivo em Cristo e no Reino, descanse e procure maximizar sua vida para a glória dele. Não ceda às pressões, piadinhas, "encontros marcados" e outras tentativas de pessoas bem intencionadas para achar seu "par". Se um dia Deus despertar em você interesse por alguém, saiba que com isso você não estará pecando (1Co 7.9).

O pastor Mark Driscoll resume o desafio de estar só:

> Muitas vezes, há coisas em sua vida que precisam ser trabalhadas antes que você esteja pronto para casar. Às vezes há pecados habituais, como o vício da pornografia, que precisam ser confrontados. Outras vezes, precisará se estabelecer na vida para poder suprir as necessidades de uma família, ou crescer em sua vida espiritual.
>
> Aceite o fato de que a época de ser solteiro oferece liberdade e benefícios que você não terá como casado. Use esse tempo sabiamente, para terminar sua educação, fazer viagens missionárias, servir a igreja, firmar sua carreira e criar uma base financeira sólida livre de dívida. Até estar pronto para casar, focalize essas questões, e depois, procure um relacionamento. Viva seus anos como solteiro para a glória de Deus. Não os desperdice![59]

Ser (ou estar) solteiro é uma praga? Certamente não. Pelo contrário, é um privilégio dado por Deus para desenvolver cada vez mais um caráter lapidado pelo Espírito Santo, uma dependência

---
[59] DRISCOLL, Mark. Dating, relating and fornicating, http://pastormark.tv/2011/10/26/dating-relating-and-fornicating. Acesso: 16 de janeiro de 2012.

total da soberania de Deus, e um compromisso integral com a obra de Deus.

RESUMINDO

1. O sistema do mundo prega que o sentido da vida está na sua realização sexual.
2. Embora seja exceção e não regra, o celibato é um chamado privilegiado e deve ser considerado biblicamente por todos.
3. É possível viver sem sexo.
4. Confiar em Deus quanto ao casamento não significa indiferença ou apatia à sua responsabilidade em se preparar para o casamento.
5. O solteiro deve focar seus esforços e tempo em como servir a Deus.

PARA DISCUSSÃO

1. Por que tantas pessoas insistem em "casar" os solteiros? Quais os problemas com isso?
2. Como casais podem ser mais sensíveis para com os solteiros?
3. Quais atitudes e ações que o jovem solteiro deve desenvolver para realmente usar esse período de vida para a glória de Deus?
4. Qual o equilíbrio entre descansar no soberano plano de Deus, e ativamente procurar oportunidades de relacionamentos com o sexo oposto?

PARTE II:

O que Deus deseja que você cultive

13. GUARDANDO O CORAÇÃO: O PROPÓSITO DE DEUS PARA A SEXUALIDADE

Alguns meses depois que compramos a nossa casa, descobri no quintal um pé de caqui que produzia frutos avermelhados e, aparentemente, deliciosos. Lembro-me como se fosse ontem a primeira vez que tentei experimentar um dos frutos daquela árvore. Foi um dia ensolarado e eu havia jogado algumas partidas de futebol. Não via a hora de morder aquele fruto suculento. Mas a primeira mordida das "primícias" de caqui produziu a decepção e o desgosto de uma boca totalmente amarrada por um fruto ainda não maduro! Demorou muito tempo para que eu novamente comesse um caqui daquela árvore e pode ter certeza que verifiquei bem se a fruta estava vermelha e madura.

Comer caqui, banana ou outro fruto antes de ficar maduro e namorar antes da hora só "amarra"! Talvez tenha uma boa aparência; talvez estejamos "morrendo de vontade". Mas no fim, só produz desprezo e desgosto. "O fruto que deveria dar prazer e nutrição, no fim é desprezado e descartado!"[60]

---

[60] TISSOT, Bob; RAHILL, Alex. *Sex, purity and holiness*, p. 72. Um exemplo bíblico disso é o estupro cometido por Amnom contra sua meia-irmã, Tamar; veja 2Samuel 13. O versículo 15 nos informa: Logo depois [do estupro] Amnom sentiu uma forte aversão por ela, mais forte que a paixão que sentira...

EDADIMITNI

"Edadimitni" não é uma saudação num dialeto indígena. Mas se você ler de trás para frente, descobrirá que é a palavra "INTIMIDADE" invertida.[61] A inversão da palavra causou confusão, e é justamente confusão que surge quando revertemos a ordem bíblica do relacionamento sexual.

O prazer sexual é um fruto que Deus reservou para o momento certo, ou seja, o casamento (Hb 13.4). Comer antes da hora, conforme a Palavra de Deus, só produz frutos negativos. Mas as delícias de um fruto suculento são reservadas para aqueles que sabem esperar o tempo e o plano de Deus para a sexualidade humana.

Pureza sexual, de corpo e mente, é a vontade de Deus para seus filhos (1Co 7.1-5; 1Ts 4.1-8). Ao mesmo tempo, intimidade sexual foi o que Deus planejou quando fez "homem e mulher" (Gn 1.27). Foi DEUS quem juntou o casal no jardim e abençoou o relacionamento (Gn 1.28, 2.24). Esses dois fatores explicam a tensão que existe quando o jovem cristão procura desenvolver uma amizade crescente com alguém do sexo oposto, ao mesmo tempo em que luta para manter pureza sexual.

Para esse fim, precisamos repensar o que a sociedade pós-moderna tem nos ensinado sobre a sexualidade humana na tentativa de resgatar princípios bíblicos sadios e animadores.

Seria difícil achar um assunto mais polêmico do que o sexo. Para alguns, "sexo" é um palavrão. Quanto menos se fala sobre o assunto, melhor. Essa "sexofobia" leva a atitudes não saudáveis quanto à sexualidade humana.

Para outros, a palavra "sexo" é como ímã: basta colocá-la na capa de uma revista ou em luzes de neon, e os olhos são atraídos naturalmente. Observando a nossa cultura, teríamos que concluir que somos "sexo-maníacos": preocupados com e absorvidos pela nossa sexualidade. Somos incentivados a desenvolver hábitos de

---

[61] TISSOT, Bob; RAHILL, Alex. *Sex, purity and holiness*, p. 54.

olhar todo membro do sexo oposto como possível candidato, se não ao casamento, pelo menos como parceiro sexual. Pedro parece fazer alusão aos dias atuais ao descrever pessoas ímpias (falsos mestres dos últimos dias) como tendo olhos cheios de adultério (2Pe 2.14).

O sexo também gera controvérsias em círculos religiosos. Em algumas religiões, o sexo se justifica somente pela reprodução da espécie, quase se tornando algo sujo fora dessa intenção. Historicamente, seitas e religiões pagãs têm feito do sexo uma parte integral de adoração aos deuses ou a um líder carismático. A igreja evangélica, apesar da sua teologia geralmente sã com respeito ao sexo, tem sofrido golpe após golpe contra seu testemunho, justamente por causa da promiscuidade e imoralidade de alguns de seus líderes.

À luz dessa polêmica e confusão, cabe a nós uma reflexão séria e bíblica com respeito ao sexo. O que a Bíblia ensina sobre o sexo? Especificamente, qual o propósito do sexo e qual deve ser a atitude do cristão com respeito a sua sexualidade? Como essa perspectiva influencia o namoro, noivado e casamento? Existem pelo menos quatro razões bíblicas para o sexo:

1. O sexo existe para refletir aspectos da imagem de Deus no ser humano.

Criou Deus, pois, o homem à sua imagem, à imagem de Deus o criou; HOMEM E MULHER OS CRIOU (Gn 1.27- grifo do autor). Como já vimos, o casal revela aspectos profundos da Pessoa de Deus. O casal espelha unidade na diversidade através do amor incondicional, bondade, longanimidade e misericórdia. Deus criou o casal, e deu-lhe o sexo, como forma de demonstrar essa união de "dois em um" com amor incondicional (Gn 2.24).

Por isso Deus odeia aberrações sexuais! Sujam sua imagem aqui na terra! O plano de Deus exige que duas pessoas do sexo oposto, porém unidas por "aliança", estejam juntas para refletir a unidade na diversidade e o amor mútuo da Trindade.

Qualquer relacionamento sexual que não seja entre um homem e uma mulher casados por aliança foge do plano bíblico.

Homossexualismo (unidade sem diversidade), fornicação (unidade sem aliança), masturbação (falta de unidade, sem diversidade e com o propósito de autogratificação), pornografia (exploração), o "ficar" (exploração sem compromisso), adultério (sexo que fere alianças e desfigura o reflexo da imagem de Deus) e bestialidade (diversidade sem unidade) são aberrações que pervertem a imagem de Deus e o plano dele para nossa sexualidade. Não é que Deus quer acabar com a "festa"; ele zela pela sua imagem e pelo bem do homem e da mulher.

2. O sexo existe para promover intimidade total (conhecimento mútuo) entre duas pessoas.

Não é por acaso que o texto bíblico se refere ao sexo quando diz que *Adão* **conheceu** *a Eva, e ela deu à luz um filho* . . . (cf. Gn 4.1, 25- grifo do autor). Infelizmente, algumas Bíblias, como a Atualizada, traduziram esse eufemismo pelo termo "coabitou", assim perdendo a riqueza da palavra "conheceu". O ato sexual é um evento em que duas pessoas se abrem totalmente, cada uma para a outra, tornando-se totalmente vulneráveis, mas ao mesmo tempo dando continuidade a um processo de compreensão (sensibilidade) mútua.

O bom andamento da vida sexual do casal exige um conhecimento mútuo cada vez maior, como muitos casais casados podem testemunhar. Muito mais do que um ato animal e meramente biológico, o sexo verdadeiro aos olhos de Deus é uma experiência que envolve conhecimento íntimo e que gera conhecimento mútuo. Por isso o sexo para o casal deve crescer em significado e profundidade ao longo de um casamento. Não é monótono ou cansativo, como alguns vendedores de sexo ilícito querem que acreditemos.

O "sexo livre" realmente barateia esse aspecto da união física entre duas pessoas. Em vez de conhecimento mútuo e intimidade profunda, encontramos falsidade, hipocrisia, exploração e prostituição, produtos de sexo "animal".

Esse é o problema também com contato físico precoce entre dois jovens, seja no "ficar" ou no namoro descuidado.

Deus criou o homem e a mulher de tal forma que cada avanço na escada da intimidade física leva para o próximo degrau. Intimidade física entre duas pessoas certamente tem seu lugar: no casamento (Hb 13.4). Antes de firmar aliança, começar a subir a escada só pode resultar em uma de duas consequências: fornicação ou frustração. Isso porque Deus é quem fez a atração física. Dar um curto-circuito no processo frustra; avançar até o topo antes da hora perverte o propósito do sexo. Em ambos os casos o melhor remédio é abster-se de intimidades físicas até o casamento.

Imagine um dia frio na região montanhosa do Rio Grande do Sul. Você entra em uma casa de madeira a convite de um amigo. Não vê a hora de esquentar-se diante da uma linda lareira feita de pedras no canto da casa. Mas, para seu espanto, seu amigo começa a juntar galhos secos no meio da sala em volta de uma coluna de madeira que sustenta a casa. "O que está fazendo?" você pergunta, incrédulo. "Estou preparando um fogo para nos esquentar" ele responde: "Mas não é o lugar certo! Tem uma lareira para isso! Você vai destruir a casa e a nós também!"[62]

Parece ridículo, mas é justamente isso que muitos jovens fazem quando procuram o "calor" do relacionamento sexual no lugar errado e na hora errada. Dentro da lareira (casamento), é uma bênção, mas fora, é um grande perigo, que acaba destruindo não somente as pessoas envolvidas, mas muitas vezes aquelas ao redor também.

Outro problema com o sexo precoce (fora do tempo de Deus) é justamente a ultrapassagem de barreiras:

> Indivíduos que não praticam autocontrole antes do casamento não o adquirem depois. Se alguém foi imoral antes de casar, ele ou ela não mudará magicamente só porque assinou um certificado de casamento em cartório. Se sexo não é visto como algo reservado para o contexto

---
[62] A ideia dessa ilustração vem de Tissot e Rahill, pp. 70-71.

do casamento, então ser fiel ao seu cônjuge será menos importante no casamento.[63]

Sexo, no plano de Deus, constitui uma oportunidade para dois dos seus filhos, criados à sua imagem, para refletir a sua glória, procriar novas imagens e desfrutar do prazer que ele, como bom Pai, criou para eles. Cabe a nós protegermos a santidade e a beleza do sexo, reservando-o para o casamento.

3. O sexo existe para a procriação de novas imagens de Deus e do casal.

Infelizmente, alguns, no decorrer dos séculos, têm limitado o propósito do sexo apenas para a reprodução da espécie. Embora procriação não seja o **único** propósito para o sexo, certamente é **um** propósito. É interessante que o primeiro mandamento na Bíblia tem a ver com o sexo e a reprodução: *Sede fecundos, multiplicai-vos, enchei a terra e sujeitai-a* ... (Gn 1.28).

Precisamos valorizar o significado teológico por trás dessa ordem. Como já vimos, Deus queria que a imagem dele, **espelhada** no homem e na mulher, fosse **espalhada** no mundo inteiro! Antes da queda, a união de Adão e Eva teria reproduzido pequenos espelhos da Pessoa de Deus, e também do amor do casal. Depois da queda a imagem ainda é vista, mas agora de forma ofuscada. Somente em Cristo Jesus é que essa imagem pode ser resgatada e o homem feito uma "nova criatura" (2Co 5.17). Por isso a experiência sexual de um casal de cristãos, redimidos pelo sangue de Jesus e vivendo em comunhão com Deus e um com o outro, deve ultrapassar e muito a imitação pobre oferecida pelo mundo. Esse é o plano de Deus!

A esse mesmo plano maravilhoso, como se o prazer da intimidade sexual em si não fosse suficiente, Deus acrescenta mais: filhos feitos não somente à imagem de Deus, mas à imagem do casal! *No dia em que Deus criou o homem, à imagem de Deus o fez; homem e mulher os criou, e os abençoou, e lhes chamou pelo nome de Adão, no dia em que foram criados. Viveu Adão cento e trinta anos, e gerou um filho*

---
[63] Faith Baptist Church Staff. *Biblical principles of love, sex and dating*, p. 50.

à sua imagem, e lhe chamou Sete (Gn 5.1-3). A procriação de novas imagens de Deus e novas imagens dos pais é um dos propósitos mais sublimes do sexo do ponto de vista de Deus.

4. O sexo existe para o prazer e a satisfação do cônjuge.
Quando Adão foi criado, Deus lhe deu a tarefa de dar nomes para os animais. Sozinho ele completou a tarefa, que lhe mostrou um fato alarmante. Depois de todos os animais passarem na frente do homem, ele percebeu que todos tinham seus pares; *para o homem, todavia, não se achava uma auxiliadora idônea* (Gn 2.18). Por isso é que Deus falou: *Não é bom que o homem esteja só*...

É interessante notar que o homem não estava literalmente sozinho. Havia cachorros e gatos no Jardim. E o próprio Deus iria andar com ele ao anoitecer. Mas esse relacionamento vertical não era suficiente para suprir desejos profundos de um relacionamento horizontal de companheirismo que o próprio Deus colocara no coração humano. Além disso, o homem precisava de alguém semelhante a ele para poder cumprir a ordem de Deus (cuidar e guardar do Jardim - Gn 2.15). Não era bom que ele tentasse realizar a tarefa sem auxílio. Por isso, Deus deu ao homem alguém que fazia parte dele para desfrutar de intimidade e comunhão com ele, satisfazendo assim seus desejos mais profundos, e permitindo que os dois refletissem a glória de Deus através do trabalho. O ato sexual é a consumação da satisfação e do prazer dessa comunhão.

O livro de Provérbios aconselha o casal casado a procurar a satisfação mútua como forma de evitar a imoralidade: *Bebe a água da tua própria cisterna, e das correntes do teu poço... Sejam para ti somente e não para os estranhos contigo. Seja bendito o teu manancial, e alegra-te com a mulher da tua mocidade, corça de amores, e gazela graciosa. Saciem-te os seus seios em todo o tempo; e embriaga-te sempre com as suas carícias* (Pv 5.15-19).

O livro de Cantares foi escrito para exaltar a beleza do amor romântico e sexual dentro do plano matrimonial de Deus. Seus textos certamente desmentem a ideia de que o sexo por prazer está fora da vontade de Deus!

A sexualidade humana representa uma das melhores maneiras de o cristão refletir a essência da vida OUTROCÊNTRICA de Cristo em nós. A vida daquele que não veio para ser servido, mas para servir (Mc 10.45) é manifestada quando o sexo é visto como ferramenta para dar, em primeiro lugar, prazer e satisfação ao OUTRO (1Co 7.3,4). O Novo Testamento ecoa esse aspecto da satisfação sexual mútua no casamento. O apóstolo Paulo alista desejos sexuais como uma das principais razões do por que casar-se (*é melhor casar do que viver abrasado,* 1Co 7.9). Também adverte os casais a não se absterem por muito tempo da união sexual *para que Satanás não vos tente por causa da incontinência (*7.5). O ponto não é o sexo em si, mas uma vida livre de preocupações sexuais para poder servir melhor o Reino de Deus. Por isso, o solteiro que tem seus impulsos sexuais sob controle está mais livre para servir o Reino "de tempo integral". Mas aqueles (a maioria?) que não têm esse "dom", devem casar-se para poderem focalizar seus esforços no serviço do Rei, sem desvios e tentações imorais.

Apesar de toda beleza no propósito de Deus para a sexualidade, temos de reconhecer que o sexo não é tudo na vida do cristão. Infelizmente, nosso inimigo, o *sedutor de todo o mundo* (Ap 12.9) tem alcançado suas maiores vitórias contra a igreja de Jesus Cristo justamente neste ponto. Temos engolido propagandas, revistas, novelas e piadas sujas que o mundo circula, barateando uma das mais sublimes e belas criações de Deus.

Por isso devemos fazer de tudo para proteger a pureza do relacionamento com o sexo oposto, a qualquer custo. Observe que "pureza" é diferente de mera "virgindade", mesmo que essa seja muito importante. É possível chegar impuro e virgem ao altar matrimonial, como é possível chegar puro mesmo tendo perdido sua virgindade, através de um arrependimento sincero e da renovação do seu compromisso com Deus. Pureza moral é uma questão de coração e corpo (Mt 5.27-30).

Portanto, cabe aos namorados e noivos avaliarem cuidadosamente situações que podem aumentar tentação e quando deve haver um esforço dobrado de fugir da imoralidade. Não pretendemos oferecer uma lista de regras de "pode e não pode", mas simplesmente alertá-lo acerca de situações de maior risco:[64]

- Ficar no quarto com o namorado de porta fechada.
- Estarem sozinhos em casa depois que todos saíram.
- Fazer viagens longas à noite, só os dois.
- Ficarem sozinhos no escuro por muito tempo.
- Assistir a filmes, programas, DVDs ou ler revistas provocativas, sozinho ou juntos.
- Dar beijos e abraços longos e/ou apertados.
- Caminhar para as carícias.
- Entrar em conversas promíscuas e sensuais por telefone ou internet.

EDADIMITNI. A inversão de prioridades só confunde o plano perfeito de Deus para a INTIMIDADE.

O sexo tem seu lugar, mas não ocupa todo lugar! Devemos louvar a Deus pela sua sabedoria e bondade em criar o sexo. Mas vamos manter equilíbrio, não sendo sexofóbicos, nem sexomaníacos. Vamos louvar ao Criador, e não à sua criação, *buscando em primeiro lugar o Reino de Deus, e sua justiça* (Mt 6.33).

RESUMINDO

1. O prazer sexual é um fruto que Deus reservou para o momento certo, o casamento.
2. Precisamos repensar o que a sociedade tem nos ensinado sobre a sexualidade, pois foge do plano de Deus para nossas vidas.
3. Deus odeia aberrações sexuais (práticas fora do seu plano) pois distorcem o reflexo da sua glória através do casal.

---

[64] Muitos dos itens desta lista foram sugeridos pelo pr. Jaime Kemp, em seu livro *Namoro*, pp. 15-16.

4. A intimidade sexual entre duas pessoas deve ser reservada para depois do pacto matrimonial.
5. A sexualidade humana deve refletir a vida de Cristo, que não é egocêntrica e imediatista, mas "outrocêntrica" e altruísta.
6. Devemos fazer de tudo para proteger a pureza (não somente a virgindade técnica) do relacionamento com o sexo oposto.

PARA DISCUSSÃO

1. Quais exemplos reais dos dois extremos de "sexofobia" e "sexomania" são vistos na sociedade e na igreja?
2. Como uma compreensão do ensino bíblico sobre sexualidade conforme apresentado neste capítulo influencia as controvérsias sobre assuntos sexuais polêmicos (homossexualismo, sexo livre, pornografia etc.)? Como um entendimento do propósito bíblico da sexualidade como reflexo do próprio Deus coloca toda a conversa em outro patamar?
3. À luz dos propósitos de Deus para a sexualidade humana, quais os princípios que um casal de namorados ou noivos deve considerar ao estabelecer seus padrões de contato físico antes do casamento?
4. Diante da profundidade e seriedade da intimidade sexual no plano de Deus, fica mais fácil entender por que Satanás promove aberrações desse plano. Por que você acha que o inimigo tem usado tanto essa arma na guerra contra Deus e seu povo?
5. Avalie a declaração: "É possível chegar impuro e virgem ao altar matrimonial, como é possível chegar puro mesmo tendo perdido a virgindade." Você concorda ou discorda? Por quê?

14. "JÁ, MAS AINDA NÃO": NAMORO A SER DESFRUTADO NO TEMOR DO SENHOR

O *Guinness Book of World Records*, livro de recordes mundiais apresenta alguns fatos curiosos de longevidade:

- O noivado mais longo foi entre Otávio Guillen e Adriana Martinez. Noivaram no México em 1902, mas adiaram o casamento vez após vez. Somente 67 anos mais tarde, em junho de 1969, finalmente fizeram seus votos conjugais. Tinham 15 anos quando noivaram e 82 anos quando casaram! (Pense nisso se você acha que seu namorado está demorando em pedir você em casamento!).[65]

- No dia 19 de março de 2011, Forrest Lunsway e Rose Pollard se tornaram os mais velhos noivos, ao

---

[65] http://thelongestlistofthelongeststuffatthelongestdomainnameatlonglast.com/long292.html. Acesso: 11 de janeiro de 2012.

casarem-se com uma soma de idade de 193 anos. Casaram no aniversário do centenário de Forrest, e Rose tinha 93 anos. Namoraram por 28 anos. O casal não pensa em ter filhos.[66]

- O caso de divórcio entre os mais velhos. Um senhor italiano conhecido somente como "Antônio C", com 99 anos pediu divórcio depois de 77 anos de casamento. Aparentemente descobriu, numa gaveta antiga, em casa, algumas cartas de um caso amoroso entre sua esposa e um amante, que acontecera há 60 anos. Enfurecido, exigiu o divórcio, apesar de sua esposa Rosa C., com 96 anos, tentar persuadi-lo a reconsiderar a decisão.[67]

Se essas histórias nos ensinam alguma lição, é que namoro, noivado e casamento são relacionamentos que nos afetam durante toda a vida e que devem ser desfrutados ao longo dela. Também nos ensinam que os desafios de se manter um relacionamento saudável nunca acabam. Quando se trata de namoro e noivado, podemos dizer que são relacionamentos do tipo "já, mas ainda não". Ou seja, já existe compromisso a ser desenvolvido, mas ainda não com o pleno desfrute de todos os privilégios que acompanham as responsabilidades do casamento.

O namoro se transforma num processo cujo objetivo final é glorificar a Deus em todos os seus aspectos e isso acontece quando o namoro é conduzido pelo desejo de construir um lar futuro.

CRISTO E A IGREJA

Como mencionado anteriormente, uma analogia bíblica para o casamento é o próprio relacionamento entre Cristo e a igreja. Sem esgotar a metáfora usada por Paulo ao ensinar como maridos devem

---

[66] http://www.dailymail.co.uk/news/article-1383542/Worlds-oldest-newlyweds-Forrest-Rose-Lunsway-reveal-secret-longevity.html. Acesso: 11 de janeiro de 2012.

[67] http://www.huffingtonpost.co.uk/2011/12/30/worlds-oldest-divorce-99-year-old-splits-wife_n_1175905.html. Acesso: 11 de janeiro de 2012.

amar suas esposas, é possível explorar o conceito de namoro como preparação para o casamento através dos exemplos de Cristo, que mostrou amor para com sua igreja, e da submissão da igreja a Cristo. O conceito do casamento orientar os passos do namoro não é estranho às Escrituras. Na verdade, é possível encontrar na Palavra de Deus a ideia do futuro como agente motivador de mudança no presente. Por exemplo, o estágio final da glorificação em Cristo é um incentivo de fé para que o cristão viva em santidade.[68] Existe um futuro com Cristo que impacta a vida presente.

Um namoro que glorifica a Deus irá partir de um pressuposto concreto construído no real objetivo de um casamento futuro: "Já, mas ainda não". O namoro irá refletir passos progressivos que culminarão no casamento, mas ainda não. Aos poucos, os namorados crescerão na consolidação de uma amizade e de um relacionamento sadio que deverão ser orientados pelo objetivo comum de casamento.

JÁ

Com certeza, esse é um conceito que traz responsabilidades e também perigos. Namoros que não possuem planos possíveis e concretos de casamento não são resultados de sabedoria bíblica. Antes, são relacionamentos ocasionais que normalmente irão apenas expor os envolvidos a tentações e deixar marcas de tristeza e amargura.[69]

O "já, mas ainda não" precisa ser construído e fundamentado no "já" do compromisso. Um dos problemas do namoro ocasional é a falta de compromisso com excessiva intimidade. Muitos casais tomam decisões equivocadas porque interpretam a intimidade superficial que desfrutam no namoro com o compromisso necessário para o casamento. O resultado pode ser relacionamentos frágeis e suscetíveis a conflitos de todos os tipos.

---

[68] cf. 2Pedro 1.4; 1João 3.2.

[69] cf. Provérbios 5-7.

AINDA NÃO

Por outro lado, o namoro possui inúmeros aspectos baseados no "ainda não." Não cabe dentro do namoro a intimidade profunda de um relacionamento conjugal, tanto física como emocional. A intimidade em suas diversas manifestações é um benefício para aqueles que se relacionam debaixo de um compromisso indissolúvel. Benefícios e compromissos crescem juntos em direção à maturidade matrimonial. Com grandes responsabilidades veem grandes privilégios. Usufruir dos privilégios sem assumir as responsabilidades é hipocrisia e falsificação.

Portanto, o desenvolvimento do namoro é construído sobre um firme compromisso em descobrir o que é a vontade de Deus quanto ao casamento. Isso envolve tanto a compreensão de sua vontade revelada nas Escrituras como também a aplicação da Palavra às circunstâncias diárias. Tudo isso deve ser feito em franca concordância com o objetivo de buscar a glória de Deus acima de tudo (1Co 10.31) e debaixo da sabedoria descrita na Palavra.

Diante dessas considerações, neste e no próximo capítulo sugerimos dois conceitos fundamentais como pré-requisitos para relacionamentos saudáveis entre dois jovens do sexo oposto:

1. Namoro a ser desfrutado no temor do Senhor
2. Amor a ser desenvolvido conforme o modelo de Cristo

NAMORO A SER DESFRUTADO NO TEMOR DO SENHOR

O livro de Eclesiastes apresenta a vida como um presente divino a ser desfrutado debaixo do temor a Deus (Ec 12.13, 14). Durante todo o livro, Salomão aponta inúmeras propostas de significado para a vida, e conclui que tudo é correr atrás do vento. Ao fim de cada seção, Salomão encoraja seus leitores a desfrutar da vida como uma dádiva divina (Ec 2.24-26; 3.12-15, 22; 5.18-20; 8.15; 9.7-10; 11.9-10). Cada encorajamento do Pregador para desfrutar a vida deve ser remetido ao princípio máximo de todas as atitudes, o temor do Senhor (Ec 12.13). A vida irá apresentar significado consistente somente quando for vista através do temor do Senhor. As coisas debaixo do sol só podem ser desfrutadas por completo quando avaliadas a partir das coisas acima do sol. Isso tudo não é diferente para o namoro que visa o casamento. Um relacionamento terreno só pode ser corretamente desfrutado quando levado em conta o relacionamento celestial com o Pai. Como parte da dádiva divina que é a vida, o namoro pode e deve ser desfrutado debaixo do temor do Senhor, incentivando atitudes que fomentam a santidade para a glória de Deus. Nisso há grande satisfação.

MUTUALIDADE

No contexto de namoro, o casal deve ser desafiado a exercer uma atitude de temor do Senhor enquanto desfruta da companhia um do outro. Esse tipo de exercício irá culminar num aprendizado valioso para a vida toda, onde dois aprenderão a andar como um. Será construída a base para uma vida conjugal que compreende o valor da mutualidade (Ec 4.9-12), importante elemento para enfrentar presentes e futuras dificuldades, enquanto crescem na semelhança de Cristo.

GRATIDÃO

O namoro debaixo do temor do Senhor deve ser desfrutado para a glória de Deus e em franca compreensão de que é um presente divino, pois se trata de um relacionamento pertencente à sublime dádiva divina, a própria vida. Esse conjunto de fatos muda a realidade do namoro, deixando de ser um relacionamento marcado pelas exigências de ídolos do coração para ser desfrutado em gratidão ao Provedor de todas as coisas. A gratidão, por sua vez, assume um importante papel como substituta da cobiça, que é uma profunda insatisfação por aquilo que Deus dá. Sendo assim, compreender o namoro como um dos muitos presentes divinos a ser recebido com gratidão é uma poderosa arma contra a própria cobiça.

SANTIDADE E INTIMIDADE

Essa preocupação com a santidade de um relacionamento pré-conjugal entre homem e mulher já foi e ainda é tema de muita discussão. Com relação às manifestações físicas e emocionais de carinho e afeto, é comum surgirem listas sobre o que é lícito e o que não é lícito para o casal dentro do namoro. A suficiente Palavra de Deus também lida com essas questões e apresenta uma visão equilibrada sobre o assunto.

ASCETISMO

Na igreja de Colossos, Paulo lidou com a questão do ascetismo, uma tentativa humana de receber salvação e santificação através de esforço próprio, principalmente por meio da autonegação.

Paulo chama os colossenses a uma vida de devoção marcada por uma busca das coisas do alto (Cl 3.1). A mente e o desejo do cristão devem ser levados a valores celestiais que irão direcionar atitudes terrestres (Cl 3.5-17). Além disso, a confiança na obra de santificação está na pessoa de Cristo e não no esforço humano. Cristo oferece graça para mudança e sua obra na cruz muda valores que antes estavam perdidos nas trevas do pecado.

O princípio de valores celestiais também deve ser aplicado ao namoro, o que inevitavelmente muda as perguntas feitas ao longo do processo. Não são regras humanas que irão garantir a santidade do relacionamento, que pode estar em deliberado pecado de falsa humildade, desprezo pela obra santificadora de Cristo e atitude de autojustiça, tão abomináveis aos olhos de Deus quanto à imoralidade sexual.

LIBERTINAGEM

Por outro lado, a liberdade que namorados cristãos possuem não deve ser confundida com libertinagem. Muitos interpretam liberdade como passe livre para o pecado da impureza, mesmo respeitando os limites físicos da virgindade. Deus vê o coração e toda a discussão de santidade no namoro deve ser levada a ele, caso contrário, tudo será fruto de falsa humildade e sabedoria humana. O texto de 1Tessalonicenses 4.3-8 mostra o outro lado da questão. Deus chama cristãos para a santificação, não para a prostituição. É a partir do coração que o problema é corretamente tratado e irá conduzir os namorados à imitação de Cristo.

NOVA PERSPECTIVA

As perguntas comumente feitas dentro do namoro devem mudar. A preocupação deixa de ser o cumprimento do que pode ou do que não pode para alcançar a aprovação divina, mas a busca pelo caráter de Cristo através do poder da sua ressurreição. Na prática, isso irá assumir um aspecto variável e imutável. Os casais que buscam desfrutar o namoro que cresce em amor e debaixo do temor ao Senhor irão encontrar entre os dois extremos o poder da cruz de Cristo.

Por exemplo, para aqueles que sofrem pressões relacionais de um passado sexualmente ativo, um simples cumprimento de abraço pode se transformar numa deliberada defraudação de sua santificação, enquanto que para outros, este gesto pode significar uma mera manifestação de carinho genuíno e respeito. Na cruz de Cristo, o casal encontra a liberdade para conversar de forma sábia e amorosa sobre como podem servir ao outro.

QUESTÕES CULTURAIS

A questão também ganha maior abrangência quando vista sob os aspectos sociais e culturais em que o namoro é desenvolvido. Diferentes culturas e comunidades irão manifestar diferentes padrões para um namoro adequado, que também deve ser levado em consideração para um bom testemunho com os de fora. Isso é diferente de um namoro conduzido pelo temor a homens, mas é resultado de um diálogo aberto, maduro e que leva em consideração o testemunho do evangelho em seu contexto.

As manifestações e estímulos sexuais fora do casamento violam o padrão divino de santidade para o namoro da mesma forma que a confiança em regras humanas. Isso deixa claro que o namoro deve ser exercido e desfrutado debaixo de um padrão divino de santidade, que tem como foco o coração humano e não um comportamento orgulhoso fruto da falsa humildade e rigor ascético.

CORAÇÃO ENGANOSO

Também é fato que existe uma grande dificuldade em lidar com essas questões diante de um coração que facilmente compara motivações pecaminosas com falsa humildade. É errado esconder-se atrás de regras humanas e usá-las para acalmar uma consciência em pecado.

Portanto, os namorados devem buscar constantemente a vontade de Deus revelada na Palavra. Apenas o conhecimento do Santo irá produzir nos envolvidos o temor adequado, capaz de conduzi-los à maturidade marcada pelo ódio ao pecado (Pv 8.13) e pelo amor e diligência à santidade (Pv 9.10).

RESUMINDO

1. Namoro, noivado e casamento são relacionamentos que nos afetam por toda a vida.
2. O casamento é o objetivo final que determina os passos do namoro.
3. Namoros que não possuem planos possíveis e concretos de casamento não são resultados de sabedoria bíblica.
4. A intimidade em suas diversas manifestações é um benefício para aqueles que se relacionam debaixo de um compromisso de casamento.

5. A vida apresenta significado consistente somente quando é usufruída debaixo do temor do Senhor.

6. Apenas o temor do Senhor irá produzir a atitude adequada capaz de conduzi-los à maturidade, odiando o pecado e amando de todo o coração o Salvador.

PARA DISCUSSÃO

1. Avalie essa declaração: "Um dos problemas do namoro ocasional é a falta de compromisso com excessiva intimidade."
2. Em que sentido o namoro e noivado representam uma situação de "já, mas ainda não"? O que significa? Até que ponto? Qual o equilíbrio certo entre os privilégios e as responsabilidades do namoro?
3. Ascetismo e libertinagem são polos opostos quando se trata de intimidade física no namoro e noivado. Qual o perigo de seguir listas de "regras" artificiais sobre contato físico no relacionamento a dois? Qual o perigo do casal NÃO estabelecer alguns padrões nessa área à luz da Palavra de Deus?
4. Se o namoro, assim como outras fases da vida, deve ser aproveitado ao máximo NO TEMOR DO SENHOR, quais são algumas implicações práticas disso no dia a dia?

15. AMOR A SER DESENVOLVIDO CONFORME O MODELO DE CRISTO

A música sertaneja *Amor da Hora* cantada pelo grupo Tchê Garotos ilustra a atual perspectiva do relacionamento entre os sexos:

> Que seja eterno enquanto dure
> Esse nosso amor
> Porque o amor é bom quando é da hora.
> Eterno enquanto dure esse nosso amor
> Porque se o amor acaba eu tô fora
> Tô fora, tô fora...
>
> Eu te amo demais e esse amor é bom
> Em nossa relação você não vai dar o tom
> Eu quero te curtir e muito mais sem me machucar
> Vê se não pisa na bola que assim não dá
> Que seja eterno enquanto dure
> Esse nosso amor
>
> Porque o amor é bom quando é da hora.
> Eterno enquanto dure esse nosso amor

Porque se o amor acaba eu tô fora
Tô fora, tô fora[70]

Um engano comum referente ao amor é encará-lo apenas como um mero sentimento a ser desfrutado e não como um compromisso a ser cumprido. O paradoxo de ser "eterno" somente "enquanto dure" resume bem a ausência de compromisso em muitos relacionamentos hoje.

Como apresentado anteriormente, existe o aspecto do sentimento no relacionamento de amor entre homem e mulher que buscam o casamento. No entanto, esse não é o único aspecto do amor. Na verdade, talvez seja apenas um pequeno elemento do amor apresentado na Palavra de Deus. O amor bíblico une homem e mulher que buscam desenvolver um relacionamento amoroso de forma santa e diligente. Essa é uma das tarefas mais difíceis e recompensadoras do casal cristão: aprender a amar através da prática do perdão, do altruísmo como estilo de vida e do sacrifício em favor do próximo.

UMA JORNADA

Como pecadores, os cônjuges não apresentam uma disposição natural para desenvolver o amor. Trata-se de uma longa jornada cheia de descobertas e aprendizagens. Quanto antes o casal aprender e orar sobre o assunto, mais cedo irão colher os frutos de um relacionamento marcado pelo amor crescente. Esse aprendizado é encontrado e exercido por meio da obra santificadora do Espírito Santo. Todo cristão deve amar em todas as circunstâncias (Mt 22.34-40). O casamento irá proporcionar uma riqueza de oportunidades para exercer o amor em circunstâncias diversas.

O conteúdo a seguir é uma tentativa de apresentar na Palavra de Deus alguns dos muitos princípios para o desenvolvimento do amor mútuo, onde homem e mulher trabalham juntos na

---

[70] Sandro Coelho e Markynhos Ulyian, Amor da Hora. Acesso em 7 de janeiro de 2012, http://letras.terra.com.br/tche-garotos/ 1589896/

construção de um amor bíblico que ilustra o relacionamento entre Cristo e a igreja.

Como visto anteriormente, o casamento é uma parábola viva do relacionamento entre Cristo e a igreja (Ef 5.22-33). Essa visão de casamento deve orientar o namoro e fazer com que os envolvidos entendam o que os aguarda no matrimônio. Portanto, espera-se que mesmo dentro do namoro, alguns princípios de amor prático espelhados no relacionamento entre Cristo e a igreja sejam cultivados como preparação para a sublime união de amor através do casamento.

O AMOR DE DEUS

O amor não será desenvolvido sem um conhecimento crescente de Deus e das riquezas em Cristo Jesus. Por outro lado, o casamento também passa a ser um processo para um maior conhecimento experimental de Deus, onde dois cristãos unidos pela aliança matrimonial indissolúvel aprendem mais aspectos do caráter divino. Também é como casados que passamos a usufruir da vida em abundância recebida pela obra de Cristo de forma diferente à experimentada quando solteiros.

Isso tudo é exclusividade da aliança do casamento. O relacionamento entre Cristo e a igreja não será conhecido em sua totalidade através do namoro. Porém, é no namoro e noivado que o casal pode crescer na mentalidade dessa realidade. A melhor forma de descobrir se um casal de namorados está caminhando rumo à vontade de Deus em um futuro casamento é observar se estão dia a dia caminhando para isso. Dificilmente alguém irá se tornar algo no futuro que não esteja se tornando no presente.

BASES DO AMOR

O amor começa a lançar suas bases dentro do namoro como forma de preparo para o relacionamento futuro, a instituição divina do casamento. Nesse processo, o casal de namorados descobre o porquê da união matrimonial e passa a crescer no ideal divino do casamento, não na busca por satisfação de sonhos terrenos ou sentimentos vazios. Essa é uma proposta de namoro que busca refletir a seriedade do relacionamento conjugal, uma proposta que incentiva rapazes e moças a aprender princípios e suas aplicações no namoro antes de considerar a ideia de casamento.

Dentro disso, encontra-se também a busca pela felicidade do outro, ou seja, o conhecimento daquilo que alegra o coração do futuro cônjuge. Essa é uma forma de namorados aprenderem a cumprir seus respectivos papéis dentro do casamento, o que inclui a promoção da felicidade do cônjuge (Dt 24.5).

O autor e conferencista Ravi Zacharias descreve o compromisso desse amor:

> O amor é um compromisso que será testado nas áreas mais vulneráveis da espiritualidade, um compromisso que irá forçar a tomada de decisões muito difíceis. É um compromisso que exige que você lide com sua cobiça, sua avareza, seu orgulho, seu poder, seu desejo de controlar, seu gênio, sua paciência e cada área de tentação que a Bíblia claramente descreve. Exige uma qualidade de compromisso que Jesus demonstra em seu relacionamento conosco.
>
> O que é importante manter em mente é que você terá de enfrentar a disposição de morrer para si mesmo antes de chegar ao altar matrimonial. Essa é a pessoa por quem estou disposto a morrer diariamente? Essa pessoa a quem digo "sim" é a mesma por quem estou disposto a dizer "não" a todos os outros? Entenda que casamento lhe custará tudo.[71]

---

[71] ZACHARIAS, Ravi. I, *Isaac, take thee, Rebekah*. Nashville: W Publishing Group, 2004, p. 36.

Porém, isso não significa a satisfação de todo e qualquer desejo de uma das partes. Quando o centro do relacionamento é Deus, a felicidade conjunta é orientada pela Palavra de Deus que irá separar os deveres genuínos de um compromisso de amor dos ídolos do coração que precisam ser deixados. O casamento é, então, um lugar sagrado, "onde Deus se revela ao seu povo, o lugar onde seres humanos descobrem-se mutuamente em amor".[72] Nesse ambiente, o aprendizado do amor mostra sua beleza, onde a dificuldade em amar se transforma na própria porta para o crescimento do amor prático e sacrificial.

CÂNTICO DOS CÂNTICOS

O amor espera... ativamente

O livro de Cântico dos Cânticos esboça alguns princípios que são específicos para o casal que almeja o casamento dentro do aprendizado do amor e da preservação do mesmo. O propósito do livro gira em torno da apresentação do "verdadeiro amor como um compromisso paciente que aguarda seu legítimo desfrute"[73] (cf. Ct 1.2-3.5). A contribuição desses primeiros capítulos de Cântico dos Cânticos para o conceito de namoro está na constatação de que Salomão e Sulamita ainda não estavam casados, mas debaixo de um compromisso claro de casamento futuro.

Nesse trecho, a história de amor entre Salomão e Sulamita mostra o desenvolvimento da paciência durante a espera para o desfrute futuro do amor sem restrições vivido no casamento. Cântico dos Cânticos apresenta princípios para ensinar namorados e noivos a guardar o amor sem restrições para o casamento. O verdadeiro amor espera de forma ativa, crescendo na apreciação

---

[72] THOMAS, Gary. *Sacred marriage*. Grand Rapids: Zondervan, 2000, p. 31.

[73] PINTO, Carlos Osvaldo. *Foco e desenvolvimento no Antigo Testamento*. São Paulo: Hagnos, 2006, p. 581.

mútua e no desenvolvimento das qualidades de caráter que serão fundamentais no contexto do casamento.

Se os capítulos iniciais mostram uma situação que antecipa a consumação do casamento, os versículos finais do livro recordam o passado da esposa de Salomão. Esse referido trecho indica "que o verdadeiro amor se origina em Deus e é obtido por meio de escolhas responsáveis"[74] (Ct 8.5-12).

O caráter do amor

Lembranças de como o amor foi obtido se concentram na figura dos irmãos da noiva, que haviam aparecido de forma pouco elogiosa no capítulo 1, mas que aqui são apresentados como guardiões cuidadosos da possessão mais valiosa de sua irmãzinha, sua pureza pessoal (8.8,9). A preocupação com ela os fez envolvê-la no trabalho de cultivo de uvas, o que fortaleceu o caráter da jovem e, eventualmente, lhe proporcionou um encontro com Salomão (cf. 8.12 e 1.6). Sua determinação pessoal de permanecer pura trouxe-lhe recompensa divina e benefício para seus irmãos (8.10-12). O verdadeiro amor é generoso para com aqueles que contribuíram para sua existência.[75]

Sendo assim, a construção do amor antecede até mesmo o conhecimento do futuro cônjuge. O desenvolvimento de um caráter de qualidade traz benefícios presentes e futuros para aqueles que almejam o casamento. Os envolvidos de forma direta na vida dos namorados são chamados para contribuir no crescimento da qualidade de caráter e na pureza pessoal dos aspirantes ao casamento. Dessa forma, namorados e os demais envolvidos irão se engajar na formação de um amor responsável e maduro (Ct 8.7), cuja origem é o próprio Deus e cujo propósito é a glória dele.

---

[74] Ibid., p. 583.

[75] Ibid., p. 584.

OS PAPÉIS DO AMOR

Além do livro de Cântico dos Cânticos, outros textos contribuem para orientar os namorados no desenvolvimento do amor. Fica claro que uma visão correta do casamento e das responsabilidades dos cônjuges irá orientar uma visão madura de namoro, levando o casal de namorados a iniciativas que os guiarão no desenvolvimento do namoro.

O casamento é bom e tem propósitos perfeitos porque foi o próprio Deus quem o instituiu. Seu objetivo final é trazer glória para ele mesmo e isso é feito através do cumprimento de princípios em áreas específicas como "companhia, assistência, caracterização,[76] satisfação sexual e procriação."[77]

Dentro da discussão de namoro, os princípios das áreas citadas acima não são completamente exercidos de forma santa, mas são discutidos e considerados de forma responsável e pura. O plano de cumprimento dos propósitos do casamento é desenvolvido debaixo do entendimento correto dos papéis dos cônjuges, mesmo ainda na fase de namoro, quando o casal considera a ideia de entrar debaixo da aliança de casamento.

COMPANHEIRISMO

A companhia é desenvolvida por ambas as partes envolvidas. Em Gênesis 2.18, Deus afirmou que não era bom que o homem estivesse só. O companheirismo é visto biblicamente como algo bom e criado por Deus para o desfrute do homem.[78] No contexto de Gênesis e do propósito de Deus para o casamento, o homem sozinho não iria:

---

[76] Ou seja, ilustrar o conceito que o casamento se propõe a mostrar: Cristo e a igreja.

[77] SCOTT, Stuart. *The exemplary husband*. Bemidji: Focus, 2002, p. 60.

[78] Mesmo fora de uma antropologia baseada em necessidades ilegítimas. A diferença entre os dois é que a teologia das necessidades ilegítimas tira a responsabilidade do coração humano de responder bem quando circunstâncias não suprem suas necessidades por companhia. A Palavra de Deus reconhece a bênção da companhia sem torná-la determinante para uma vida que agrada a Deus em tudo.

1. Refletir aspectos relacionais da imagem de Deus.
2. Reproduzir novas imagens de Deus.
3. Representar a imagem (governo) de Deus pelo trabalho no Jardim.

"Não era bom" o homem ficar "só" porque ele precisava de uma companheira adequada para realizar todo o propósito de Deus para a humanidade.

A companheira criada por Deus para o homem é uma correspondente comparável a ele. Portanto, não é difícil concluir que o casamento incorpora o desenvolvimento do companheirismo mútuo que deve ser trabalhado durante o período de namoro também, de acordo com a lógica apresentada até aqui. O desenvolvimento desse companheirismo é parte da vontade revelada de Deus.

De forma prática, o envolvimento mútuo entre os namorados deve ser exercido através do investimento de tempo juntos e por meio do desenvolvimento de interesses comuns. Cada casal irá encontrar outras maneiras para exercer a disposição de crescer em amor. Apreciação mútua, trato especial, compreensão do outro e o deixar-se conhecer são outras formas que namorados podem trabalhar para crescer em companheirismo.

Esses valores são expressos e desenvolvidos através de atividades realizadas em conjunto. Porém, não são as atividades em si que constroem o amor, mas elas são importantes veículos para trazer à tona situações que irão servir de palco para a edificação do mesmo. Nesse ponto, é extremamente importante o papel da igreja local e das famílias ao proporcionar o ambiente ideal para rapazes e moças se conhecerem.

ASSISTÊNCIA MÚTUA

Ainda em Gênesis 2.18, Deus fala do valor da assistência feminina oferecida ao homem. Essa é mais uma característica que será plenamente exercida dentro do casamento, porém, no namoro, pode ser trabalhada. A ideia subjacente é que a mulher venha a somar ao homem através de um auxílio diligente e santo. De acordo com Tito 2.4-5, as jovens devem aprender com as mulheres mais velhas a amarem seus maridos e a tornarem-se boas donas de casa. Talvez por resistirem ao machismo latino-americano ou por cederem à pressão social para que as mulheres ganhem seu espaço, jovens mulheres não se interessam mais pelo aprendizado das tarefas domésticas que são essenciais na formação de mulheres de excelência. O papel da mulher deve ser enfatizado dentro do namoro para que ela cresça nas qualidades que irão torná-la boa esposa e mãe. Nesse ponto é crucial a função dos pais e da igreja, criando um ambiente que torne propício o surgimento e a prática dessa mentalidade. Notamos essa realidade na história de Rute que, ao mudar-se para Belém com sua sogra, tornou-se uma mulher de excelência (Rt 3.11).

E AS CARÍCIAS?

Satisfação sexual e procriação são outros itens que não se aplicam ao namoro. A Palavra de Deus possui um elevado padrão de santidade no que se refere à pureza sexual. Na Palavra de Deus, jovens são incentivados a tratar moças como irmãs, com toda a pureza (1Tm 5.2). Sempre existe o perigo de manifestações físicas de carinho tornarem-se carícias sexuais. Os jovens sábios fugirão desse perigo, procurando um meio seguro de demonstrar suas afeições enquanto solteiros (Pv 5.8; 22.3).

Quando o carinho se transforma em carícia sexual? Onde está o limite do carinho? Até que ponto podemos ir sem pecar? Essas perguntas são levantadas com frequência, e precisam ser respondidas biblicamente. Será que é sábio viver no "limite" da santidade? Geralmente perguntas assim revelam uma busca de aprovação dos desejos cultivados em lascívia. Porém, isso não é possível, muito menos legítimo. A preocupação do cristão em qualquer área não deve ser quão longe de Cristo ele pode estar e ainda ser chamado cristão! O cristianismo tem uma proposta diferente e melhor: *quão perto de Cristo e longe do pecado você quer estar?*

Sendo assim, as demonstrações de carinho entre namorados devem girar em torno de um intenso desejo de agradar a Cristo, levando-os para mais perto do seu Senhor e Salvador! Há grandes chances de eles se tornarem futuros cônjuges e todos querem se casar com alguém santo, certo?!

Para ajudá-los, pensem nas perguntas a seguir. Cada uma delas foi formulada para encorajá-los a viver de forma pura, ao identificar como vocês cedem às paixões da carne e/ou se revestem com atos de verdadeiro amor.

PARA AVALIAÇÃO PESSOAL:

- **Meu namoro tem o compromisso de buscar o casamento?** Se você está namorando e já entendeu que essa não é a pessoa com quem vai casar, não adie o inevitável. Um namoro sem o claro e firme propósito de buscar o casamento servirá apenas de fonte de tentações sexuais para vocês dois.

- **Estou disposto a usar carícias para garantir a duração do namoro?** Alguém uma vez já disse: *você faz o que você faz porque você quer o que você quer!* É comum o uso de carícias sexuais para garantir o que se quer: segurança, afeto, aprovação etc. Você tem usado de artifícios sexuais para garantir aquilo que espera que seu namoro lhe dê?

- **Meu relacionamento físico reflete os padrões do mundo ou de Deus (Rm 12.1, 2)? O que entendo por pureza sexual? É suficiente "apenas não transar" (Ef 5.3)?** Alguns acreditam erroneamente que ser puro é o mesmo que "não transar"! Pureza sexual à luz da Palavra de Deus transcende a virgindade. Pare e pense no seu padrão de pureza diante do que a Bíblia ensina em Efésios 5.3.

- **Minha antecipação ao iniciar um relacionamento é motivada por aquilo que vou obter, ou seja, satisfação de desejos/fantasias sexuais ou algum tipo de**

- **curiosidade sexual (Fp 3.18, 19)?** É hoje! Vocês vão se encontrar! Por que você fica feliz ao pensar na ideia de rever sua (seu) namorada (o)? Alguns pensam naquilo que farão em termos de avanço de carícias. Se o seu coração está planejando o "próximo passo" na satisfação de desejos, você está fisgado pela impureza!

- **Você tem usado seu relacionamento como instrumento de satisfação do seu pecado (1Ts 4.3)?** Quando foi a última vez que conversaram algo edificante que contribuísse para a santificação individual? Alguns casais se enxergam apenas como instrumentos de satisfação sexual. Vocês são assim?

- **A sua motivação é servir o seu futuro cônjuge para a glória de Deus em toda a pureza (1Tm 5.2)?** De que forma você está servindo-o em sua caminhada com Jesus? Às vezes não percebemos que a melhor forma de parar de pensar em algo é pensar em outra coisa! A Bíblia nos orienta a deixar de fazer algo nos mostrando o que devemos fazer. Ao invés de enxergar seu relacionamento como instrumento de satisfação do pecado, por que não enxergá-lo como alvo de suas orações para que como casal vocês sejam parecidos com Jesus?

- **Como tenho orado por meu relacionamento no que se refere à pureza sexual (Cl 1.9-12)?** Ore para que vocês cresçam agradando a Deus: com frutos em toda boa obra, com crescimento no conhecimento de Deus, em perseverança, e dando graças ao Pai.

- **Depois que passamos um tempo juntos, temos "culpa" ou "alegria"? Por quê?** O sentimento não é o único termômetro da pureza do relacionamento. Alguns casais estão tão habituados a pecar que já adquiriram uma consciência cauterizada em relação ao pecado sexual (1Tm 4.2). No entanto, o sentimento de culpa pode estar alinhado com a culpa real de um relacionamento impuro.

Se esse for o seu caso, o que seus sentimentos estão lhe dizendo?

PARA AVALIAÇÃO DO CASAL

As perguntas sugeridas para avaliação do casal são para ajudá--los a enxergar pontos de tentação que precisam ser trabalhados, e assim, auxiliá-los no crescimento da santidade. Porém, existe o perigo de que detalhes desnecessários sejam compartilhados, gerando mais tentações a vocês.

Pense na história de Davi e Bate-Seba (2Sm 11). O que vocês sabem sobre o pecado de Davi nessa história? A Bíblia nos conta exatamente o que precisamos saber: Davi viu uma mulher que não era sua tomando banho, cobiçou-a, deitou-se com ela e engravidou-a. Depois, tentou esconder seu pecado. Sem sucesso, acabou por matar seu marido, Urias. Note, não sabemos de nenhum detalhe desnecessário que poderia provocar nossa imaginação, levando-nos a pecar. Da mesma forma, ao conversarem sobre as perguntas sugeridas abaixo, busquem comunicação direta, honesta e breve.

Despojar

- Fazemos ou falamos algo que se transforma em obstáculo para que vivamos por Jesus (Ef 4.29)?
- Fazemos, falamos ou vemos algo que alimenta nossos desejos impuros? Se sim, como eliminá-los (Rm 13.14)?
- Podemos dizer que nosso carinho é honroso a Jesus e que não nos envergonharíamos diante dele (Pv 5.21; 2Co 5.10)?
- Nossas vestimentas são um obstáculo para estarmos mais perto de Cristo?
- Depois do nosso tempo juntos, nos sentimos mais perto de Jesus? De que forma? Por quê? Você tem vergonha de responder honestamente às perguntas acima?

- Precisamos da ajuda de um casal maduro que confiamos para caminharmos nessa área?

Renovar

- O que a Bíblia tem a nos dizer sobre sexo?
- De que forma estamos buscando na Palavra de Deus as repostas para nosso namoro no que se refere à pureza sexual?
- Como podemos crescer na aplicação da verdade em nosso relacionamento?
- Cremos no mesmo padrão de pureza sexual?

Revestir

- O que fazemos ou falamos revela o desejo de estarmos mais perto de Jesus?
- O que comunica de forma clara minha apreciação por você? Aquilo que eu disse ou fiz lhe comunicou minha apreciação por você?
- O que eu fiz ou disse lhe comunicou meu amor por Jesus?
- De que forma vemos a mão de Deus direcionando nosso relacionamento? Há razões para sermos gratos?

CONCLUSÃO

Não existe "amor eterno, enquanto dure". Em outras palavras, "quando o amor acabar, o que resta é o amor"! O amor bíblico é decisão, compromisso e, acima de tudo, a vida de Cristo vivida através de nós na procura do maior bem do objeto do amor – SEMPRE.

O desenvolvimento total do amor proposto só pode ser exercido dentro do contexto do casamento. Porém, o objetivo geral desse tópico foi levar namorados e noivos a crescer na compreensão das implicações do amor conjugal e incentivá--los a desenvolver habilidades para construí-lo ainda dentro do relacionamento de namoro. Quando isso acontece, o namoro torna-se um ambiente saudável para ensinar o casamento a dois cristãos, para a glória de Deus.

RESUMINDO

1. Amor não é um mero sentimento, mas um compromisso a ser desenvolvido.
2. Todo cristão é chamado a crescer no amor.
3. O casamento é mais uma oportunidade para que o casal conheça o amor de Deus.
4. O desenvolvimento de um amor maduro no casamento começa no namoro.
5. O cristianismo genuíno desenvolve o desejo de estar perto de Cristo e longe do pecado.

PARA DISCUSSÃO

1. O que significa a afirmação: "O amor espera... ativamente"? Como manter o equilíbrio entre esperar/depender de Deus e tomar iniciativa na procura de um relacionamento sadio?
2. Interaja com essa declaração: "A construção do amor antecede até mesmo o conhecimento do futuro cônjuge. O desenvolvimento de um caráter de qualidade traz benefícios presentes e futuros para aqueles que almejam o casamento." Como essa ideia deve desafiar jovens mesmo antes do namoro?
3. Quais as diferenças entre o conceito comum cultural de "amor" e o conceito apresentado neste capítulo?

4. Até que ponto é válido o casal desenvolver as qualidades de amor no contexto do namoro, sem ter afirmado esse amor ("eu te amo") ou se comprometido com um casamento futuro?

16. AS TRÊS DECISÕES MAIS IMPORTANTES DA SUA VIDA

Certa vez levei minha família e alguns estrangeiros ao Pão de Açúcar no Rio de Janeiro. Era a única chance que nossos amigos teriam de contemplar a beleza da cidade encantada do alto. Infelizmente, o dia estava totalmente nublado. Mesmo assim, subimos, na expectativa de que o inesperado acontecesse e as nuvens partissem. Ficamos muito tempo, mas nada – até o momento que estávamos para descer a montanha. De repente, as nuvens partiram, a névoa se dissipou e vimos a cidade maravilhosa com toda a sua glória. Foi uma visão inesquecível.

Nosso desejo tem sido que este livro sirva para dissipar algumas nuvens quanto ao namoro e outros relacionamentos. Mas, ao mesmo tempo, reconhecemos que às vezes ao discutir certas questões, novas dúvidas se levantam como névoa em nosso coração.

Gostaríamos de dissipar mais um pouco dessa confusão neste capítulo, estreitando o foco sobre namoro dentro da vontade de Deus através de três perguntas fundamentais que representam o que um dos meus professores chamava de "as três decisões mais importantes da sua vida".[79]

---

[79] Ouvi essa ideia pela primeira vez do dr. Howard Hendricks no Seminário Teológico de Dallas, curso de Mestrado em Teologia.

MESTRE

A primeira decisão que temos de tomar como pré-requisito para o namoro é quem manda em nossa vida. No prelúdio à grande comissão em Mateus 28.18, Jesus declara: *Toda a autoridade me foi dada no céu e na terra.* Em outras palavras, JESUS É O REI. JESUS É O DONO DO PEDAÇO. NÓS SOMOS SEUS SÚDITOS (cf. Js 24.15).

O livro de Mateus desenvolve o tema de Jesus como Rei. Como posso me juntar a outra pessoa no mesmo jugo (como "con-juge", alguém que compartilha o mesmo jugo) se seguimos a voz de mestres diferentes? Mateus 6.24 nos lembra que ninguém pode servir a dois mestres. O versículo 33 diz: *Buscai, pois, EM PRIMEIRO LUGAR, o Reino de Deus* (Grifo do autor). Portanto, é preciso tomar uma decisão sobre o jugo que vamos usar. O jugo de Jesus (Mt 11.28-30) ou o jugo desse mundo (1Jo 2.15-17)? Quem vai direcionar o arado que vamos puxar?

Se Deus é o Mestre do casal de namorados, então quanto mais os dois se aproximam dele, mais próximos ficam um do outro:

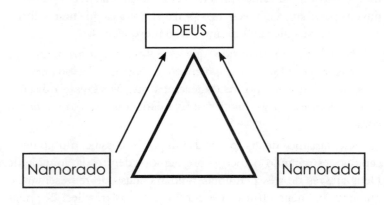

À luz disso, o autor Ravi Zacharias dá conselhos práticos para todos os namorados:

Seja um homem ou uma mulher de oração. Faça com que sua vida devocional seja o norte que lhe guie pelas terras difíceis que enfrentará. Faça com que seu coração e sua mente continuem próximos à sua chamada principal na vida, que é ter fome e sede de Deus e da sua justiça.[80]

A seguir temos algumas linhas de uma carta de amigos que servem a Deus num campo missionário difícil e "frio", na Suécia. As palavras deles refletem a importância desse jugo igual debaixo do mesmo Mestre:

> A família exerce junta, através da graça, o chamado de espelhar a Cristo a todos os povos, línguas e nações. A família vive os sonhos de Deus e trabalha para se manter nele dentro das tribulações.
>
> Buscar a Deus em primeiro lugar, amá-lo acima de todas as coisas... é a base de todos os seres humanos no que se refere ao chamado. E ninguém pode fazer isso sem depender de Jesus. Morremos e decidimos morrer para que ele possa viver em nós. E este chamado está fundamentado em Cristo. ... É uma bênção vivermos o jugo igual, pois cremos que este é o plano de Deus para cada família. A família é instrumento de Deus para IMPACTAR este mundo caído. ...Sem ele nada podemos fazer, e sem a graça, é vã a nossa vida.
>
> **Eduardo, Priscila, Beatriz e Helena Bellucci,
> JMM, Suécia.**

Quando se trata de casamento e serviço ao Senhor, esse compromisso para com a Pessoa de Jesus vem em primeiro lugar. Ele tem toda a autoridade. Ele é o Mestre. Como entrar num jugo quando seguimos as ordens de mestres diferentes?

---

[80] ZACHARIAS, Ravi. I, *Isaac, take thee, Rebekah*, p. 121.

Isso nos leva para a segunda decisão mais importante da nossa vida.

MISSÃO

Notem que em Mateus 28, uma vez estabelecido quem é o Mestre, logo após vem a missão. Os quatro evangelhos terminam com a declaração da missão de todo filho de Deus e o livro de Atos assim começa. A missão é nada mais, nada menos que alcançar "todos os povos" com o evangelho de Cristo para a glória de Deus! Jesus quer discípulos (súditos) de todas as nações, todas as raças, todos os grupos étnicos, cada um refletindo pelo espelho da sua vida e da sua cultura a glória do Senhor. Podemos imaginar cada povo como um prisma refletindo aspectos da luz da glória de Deus.

O cristão tem uma agenda oculta nesta vida, ou seja, envolver-se o máximo possível em seus variados círculos de contexto, usar tudo que é e tem para colaborar com a tarefa de conquistar o mundo com o evangelho de Jesus (Mt 5.13-16). Somos abençoados para abençoar! (Sl 67; Gn 12.1-3).

Usando a analogia do jugo, ou canga, se a primeira decisão que temos a tomar é "quem é o Mestre?" (Qual voz vou obedecer?) a segunda decisão é "qual o campo que vamos cultivar?"

Entendemos que há muita liberdade de escolha aqui. Existem fatores da sabedoria divina que atuam de tal modo a nos direcionar para investir nosso tempo, nossos bens, nossa energia em prol de algum aspecto da seara.

Mas é justamente aqui que muitos erram quando entram num "jugo desigual" - ou com incrédulos, ou com pessoas que não partilham da mesma visão do Rei e do seu Reino. O texto de 2Coríntios 6.14 fala do "jugo desigual" referindo-se principalmente à participação de crentes com incrédulos na adoração de ídolos. Mas o princípio ressalta um ensinamento unânime em mais de oitenta passagens da Palavra de Deus que vetam a íntima associação, em casamento, entre pessoas de reinos diferentes.

A pergunta prática é: Como posso comprometer-me com a missão que meu Mestre me deu, se estou "con-jugado" com alguém que tem outra missão? Como dois podem andar juntos, se não há acordo? (Am 3.3). Um puxa numa direção, e o outro, na outra. Um ouve a voz de UM Mestre, e o outro, de outro. NÃO FUNCIONA!

Essa é uma das razões por que desaconselhamos o namoro entre adolescentes. Com raras exceções, adolescentes ainda não tomaram as decisões básicas quanto à sua missão na vida para unirem-se a alguém que compartilha da mesma missão. Simplesmente não tiveram tempo suficiente para determinar seu lugar (chamado) no Reino, e não podem compartilhar sua vida com outra pessoa.

Veja como outro casal, que serve numa região do mundo que fazia parte da antiga União Soviética, descreve a importância dessa decisão em seu relacionamento:

> O meu chamado missionário ocorreu em 1991, em um acampamento de carnaval. O palestrante falou da necessidade de pastores e líderes nos países da antiga União Soviética e naquela noite, no culto da fogueira, dediquei minha vida para missões. Na época eu namorava uma jovem há dois anos e estava decidido a me casar com ela. Ela era filha de pastor, mas quando falei do meu desejo de ir para o seminário e me envolver com missões, ela foi a primeira a levantar muitos obstáculos.
>
> Depois de um tempo lutando com isso, orei dizendo que se Deus realmente tivesse me chamado para missões, eu estava disposto a terminar o meu quase noivado para fazer a vontade dele. Alguns meses se passaram e nós terminamos... Um tempo depois fui visitar um seminário bíblico onde vi uma jovem no fundo do refeitório. Ela estava olhando um mapa e fazendo um trabalho. Eu perguntei qual era o seu nome e o que ela estava fazendo. Ela me disse que estava fazendo um trabalho sobre missões e que o professor lhe havia pedido que

escolhesse um país que tivesse interesse de conhecer, orar e quem sabe ir como missionária. Foi nessa conversa que ela me disse que Deus tinha falado muito ao seu coração sobre a Rússia. A partir daí, começamos a conversar e a nos conhecer. Compartilhei sobre meu chamado e depois de alguns meses começamos a namorar. Fui para o seminário três anos depois que nos casamos e ela ainda pôde terminar a curso de licenciatura enquanto estávamos morando no seminário.

Essa história tem o objetivo de mostrar a soberania e o cuidado de Deus sobre as nossas vidas. Em um momento decisivo da minha vida eu tive de escolher entre uma companheira e fazer a vontade de Deus indo para missões. Eu escolhi a Deus, e ele, por sua graça, me deu uma esposa que foi chamada para trabalhar com o mesmo povo e na mesma região antes mesmo de me conhecer.

Andrea foi para o campo missionário comigo não só porque é minha esposa, mas porque Deus a chamou primeiro e isso faz toda a diferença nos montes, vales, alegrias, tristezas, vitórias e decepções do campo missionário.

Marcus e Andréa Figueiredo, Missão Pioneiros.

É justamente aqui que se levanta uma grande dúvida, e talvez haja um pouco de "névoa" obstruindo a visão. É necessário os dois – homem e mulher – terem a mesma missão, ou seja, terem claramente definido o "campo" onde irão trabalhar? E mais: A mulher deve ter a mesma missão do marido, ou ela tem uma "submissão"? A missão dela é apoiar a missão do marido, ou cumprir uma missão que Deus lhe deu?

Um casal não encontrará na Bíblia nenhuma orientação específica e detalhada sobre o campo em que vai trabalhar, mas a Bíblia traz orientações básicas para a vida do casal, levando-o, homem e mulher, à direção correta. Por exemplo, se o homem tem a convicção de que Deus está chamando-o para um envolvimento efetivo no ministério de tempo integral, e a mulher não quer nada disso, possivelmente estamos tratando de "jugos" distintos. No mínimo, terão de avaliar a sabedoria da decisão de unirem-se na mesma canga.

Então, matrimônio se torna uma questão de SABEDORIA BÍBLICA. Como mulher, você está disposta a apoiar seu marido, seguir sua liderança a qualquer custo? Ou em seu coração queima uma paixão por algum campo do mundo que sobrepuja todo e qualquer relacionamento afetivo? Essas decisões precisam ser tomadas ANTES de responder à pergunta feita entre os jovens: "Com quem será?"

Depois de tomar as duas decisões (Quem é o Mestre? Qual a Missão?) temos condições de decidir sobre o matrimônio, ou seja, quem será a pessoa que entrará nesse "jugo" comigo? Essa decisão influenciará em grande parte se seremos impedidos ou impulsionados a maximizar nossas vidas para a glória de Cristo.

MATRIMÔNIO

A terceira decisão realmente precisa seguir as anteriores. Se ficar em qualquer outra posição, é capaz de minar todo o processo de namoro, noivado e casamento. Mas quando é tomada depois das outras, só acrescenta bênção sobre bênção na vida do casal.

A decisão sobre matrimônio tem duas partes. A primeira é se Deus está chamando-o para uma vida dedicada integralmente ao seu serviço como solteiro. O texto de 1Coríntios 7.32 dá certa prioridade para a vida de celibato em prol do Reino de Deus. Não é a vontade de Deus para todos, e talvez seja só uma minoria, mas é uma posição privilegiada, livre de (algumas das) preocupações que os casados têm. Os casados erram quando fazem de tudo para "casar" os solteiros, embolando o meio-campo quando já estão no centro da vontade de Deus.

Mas a segunda decisão tem a ver com QUEM você vai se casar. O que justifica o casamento aos olhos de Deus é a missão do Reino de Deus!

Veja como outro casal descreveu essa experiência:

> Servir a Deus é muito bom. Servir a Deus com a família é ótimo. Servir a Deus junto à família é ainda melhor! Chegar a este ponto não é tão simples quanto parece. Antes de me casar, disse a Karen: "Quero muito servir a Deus no campo missionário. Se você quiser entrar comigo nesse barco, preciso saber logo, pois é com você que quero me casar!"
>
> Ela disse sim e hoje está comigo em João Pessoa-PB. Tudo bem... Talvez você pense: "Aí qualquer mulher ou homem haveria de concordar." O fato é que quando a pedi em casamento, eu não sabia para onde iria. Poderia ser uma tribo indígena ou até mesmo países onde o cristianismo é muito perseguido. A decisão geográfica veio anos depois, quando já nos conhecíamos mais e podíamos entender melhor nossos dons, limites e desejos. Juntos estávamos, juntos estaríamos...
>
> Tenho uma esposa maravilhosa, que me ama, ama a Cristo e busca obedecê-lo. Quando procurarem alguém, sugiro que não se contentem com qualquer um. Busquem alguém que esteja disposto a usar o mesmo jugo, a mesma canga que você. Os benefícios disso vão além do que você sonha ou imagina.
>
> **Thiago e Karen Zambelli,**
> **JUVEP, João Pessoa, PB.**

Queremos encorajá-lo a usar o tempo necessário para tomar as decisões mais importantes da sua vida ANTES de decidir "com quem será". Como sempre falamos para jovens (inclusive nossos filhos): "Tempo é o maior aliado dos relacionamentos duradouros." Quem come apressado, come cru.

Se tivéssemos que resumir a lição principal por trás das três decisões mais importantes da sua vida seria:

ANTES QUE CASES, VÊ O QUE FAZES!

Concluímos com mais uma carta de amigos e missionários que servem há três décadas entre algumas tribos de índios no norte do Brasil.

Ao ingressar no seminário já sabia que iria trabalhar com indígenas. Chegando próximo à conclusão do curso, pensei que seria muito melhor ir acompanhado. Então comecei a orar ao Senhor pedindo uma companheira. Depois de algum tempo Deus me mostrou que era uma morena de olhos verdes, a Marta (isso sem entrar em detalhes da flechada do Cupido, que arrebentou meu coração com apenas uma seta). A história é um pouco longa, pois além de oposições, Marta também não tinha um chamado específico para trabalhar com indígenas. Deus, no tempo certo, solucionou tudo e Marta disse que seria obediente ao Senhor e estaria disposta a ir aonde ele a mandasse. Marta e eu nos casamos em junho de 1980 e em outubro do mesmo ano embarcamos para Roraima. Quase que passamos a lua de mel na selva amazônica.

Desde aquele tempo Marta é meu braço direito e "topa" todas as paradas por mais difíceis que sejam. Com certeza o início da vida na mata para ela foi bem mais difícil de encarar do que para mim, pois eu já era bicho do mato por natureza, enquanto ela tinha um perfil de pessoa urbana. Ela teve que lutar muito mais com seus medos e abnegações. Marta tem sido um exemplo para mim, sempre buscando estar debaixo da vontade de Deus, sendo uma esposa e mãe de tirar o chapéu.

Deus, na sua infinita graça e bondade, tem nos honrado, dando-nos Larissa e Davi, dois filhos bonitos, inteligentes e acima de tudo tementes ao Senhor. Concluindo, posso dizer que a nossa família é a mais feliz deste mundo, pois temos Cristo como Cabeça e estamos no centro de sua vontade!

Curt e Marta Kirsch, MEVA, Boa Vista, RR.

RESUMINDO

1. Para desenvolver um relacionamento saudável de namoro e noivado visando o casamento, cada pessoa precisa tomar decisões prioritárias quanto à direção da sua vida.
2. Quanto mais nos aproximarmos do nosso Mestre, mais próximos ficaremos um do outro.
3. A missão de alcançar todos os povos com o evangelho deve nortear o casal. Assim, tanto o homem como a mulher devem verificar se estão usando o mesmo "jugo" e se têm o mesmo nível de compromisso com o Reino de Deus.
4. Cada pessoa precisa descobrir se é da vontade de Deus que ela o sirva como solteira.
5. A seriedade da decisão de casar ou não, à luz do Reino de Deus, sugere o princípio: "Antes que cases, vê o que fazes!"

PARA DISCUSSÃO

1. Por que as três decisões (Mestre, Missão, Matrimônio) precisam ser tomadas nesta ordem? O que pode acontecer se seguir uma ordem diferente?
2. Quais as implicações PRÁTICAS da declaração: "Se Deus é o Mestre de ambos os namorados, então quanto mais os dois se aproximam dele, mais próximos ficam um do outro."

3. A mulher deve ter a mesma missão do marido, ou ela tem uma "sub-missão"? A missão dela é apoiar a missão do marido, ou cumprir uma missão que Deus lhe deu?

4. Como o jovem pode decidir se tem um "chamado" para ser solteiro, ou se deve casar? Por que essa decisão deve ser tomada antes de procurar um "candidato" para o namoro?

17. PRESSÕES DE ESCOLHA

Havia um *"Shopping Center* de Maridos" onde as mulheres podiam escolher o seu marido entre as várias opções de homens. O *shopping* tinha cinco andares, e a cada andar cresciam as qualidades dos homens. A escolha do marido deveria acontecer em um andar somente e não era permitido voltar ao andar anterior. Sendo assim, a mulher deveria escolher um homem do andar, subir ao próximo ou ir embora.

Uma dupla de amigas foi até o *shopping*, e em cada andar viram o seguinte:

PRIMEIRO ANDAR

Um aviso na porta dizia:

"Os homens deste andar trabalham e gostam de crianças".

Uma das amigas disse para a outra: "Bem, é melhor do que ser desempregado ou não gostar de crianças, mas como serão os homens do próximo andar?" Então elas subiram as escadas.

SEGUNDO ANDAR

"Os homens deste andar trabalham, têm excelentes salários, gostam de crianças e são muito bonitos". "Viu só?" - disse uma delas - "Como serão então os homens do próximo andar?" Então elas passaram para o próximo andar.

TERCEIRO ANDAR

"Os homens deste andar trabalham, têm excelentes salários, gostam de crianças, são muito bonitos e ajudam no serviço doméstico". "NOSSA!" - disse a mulher - "Muito tentador, mas como serão os homens do próximo andar?" Mais uma vez subiram.

QUARTO ANDAR

"Os homens deste andar trabalham, têm excelentes salários, gostam de crianças, são muito bonitos, ajudam no serviço doméstico e são muito românticos." "Inacreditável! Pense! O que será que nos aguarda no último andar!" Então elas subiram até o quinto andar.

QUINTO ANDAR

A placa na porta do andar vazio dizia: "Este andar serve somente para provar que é impossível satisfazer as mulheres. Por favor, siga até a saída e tenha um bom dia".[81]

Escolhas. Nem sempre são tão fáceis. Parte do problema são os ídolos do coração do homem que nunca está contente, mas sempre quer algo "maior e melhor". *O inferno e o abismo nunca se fartam e os olhos do homem nunca se satisfazem* (Pv 27.20, RA).

No contexto do namoro, os ídolos do coração podem desviar o foco em Deus. O conceito de idolatria não ignora a relevância de pressões sob o coração humano. As pressões servem como agentes na confecção de ídolos. Tais pressões não determinam o coração humano, mas ajudam os conselheiros e namorados a entender como as influências externas ao coração formam ídolos que afetam suas atitudes.

Não é sábio ignorar influências que contribuem para a construção de tentações diversas. O próprio Senhor Jesus no

---

[81] http://www.imagick.org.br/pagmag/diverimentos/shopping.html 81

sermão do monte chamou a atenção para a "amputação radical", processo em que o cristão procura de forma radical aliviar as pressões de tentação com o objetivo de evitar o pecado (Mt 5.29,30).

Vamos examinar duas influências fortes que impactam decisões no namoro:
1. Pressões relacionais
2. Pressões socioculturais ou "contextuais"

PRESSÕES RELACIONAIS

Cada indivíduo envolvido no namoro tem em seu contexto histórico um conjunto de eventos que pode exercer forte influência na confecção de ídolos do coração. Tais eventos constroem uma história individual e inegável que irá acompanhar todos os indivíduos durante o presente e o futuro. O passado de cada um é inevitável, envolve influências de outras pessoas e é assunto que precisa ser encarado biblicamente:

> As Escrituras também afirmam a influência de outros, mas sem insinuar que essas influências (essas pessoas) serão determinativas no que nos tornamos ou como iremos agir em uma situação específica. (...) Outras pessoas podem criar um contexto que irá tornar a obediência mais fácil ou mais difícil, mas elas não podem ser definitivas em fazer com que o coração caia em pecado.[82]

Por exemplo, uma moça enganada e machucada num relacionamento passado pode ter sérias dificuldades em confiar novamente num rapaz, ou ainda desenvolver um padrão de ciúme pecaminoso. As pressões do passado influenciarão na confecção de um ídolo de segurança emocional, e afetarão o comportamento da moça no namoro. Ela terá medo de iniciar um novo relacionamento

---
[82] EMLET, Michael R. *Understanding the influences on the human heart*, p.51.

ou será constantemente tentada a controlar o relacionamento para não se machucar novamente.

Vejamos outro exemplo. Um rapaz que cresceu num lar apático e com um pai alcoólatra pode desenvolver um padrão de inconstância em relacionamentos afetivos, ao procurar uma afirmação que nunca recebeu. Nesse caso, as influências do passado auxiliam na criação de ídolos de afirmação que podem se manifestar num estilo de vida promíscuo. Note que, em ambos os casos, as influências não são determinativas, mas influenciam na criação de ídolos do coração que irão influenciar o comportamento dos namorados.

Cada caso, um caso

A quantidade e a variedade de casos são tantas quanto o número de histórias individuais da humanidade. As situações podem parecer complexas e únicas, o que contribui para que namorados percam a esperança na mudança bíblica. O papel de um cristão maduro ao ajudar jovens solteiros em situações aparentemente complexas é mostrar que a Palavra de Deus é suficiente. O evangelho é a resposta para cada "caso"!

A sabedoria e o discernimento são habilidades úteis para ajudar a enxergar os problemas biblicamente. Cada situação pode ser desdobrada em questões mais simples e tratada pela suficiente Palavra de Deus. Não existe tentação que não seja comum a todo homem (1Co 10.13). Mais uma vez, trata-se de uma questão de fé na suficiência da Palavra de Deus, que restaura a alma, dá sabedoria aos símplices, alegra o coração, ilumina os olhos, permanece para sempre e é sempre justa e verdadeira (Sl 19.7-9).

E o passado?

Portanto, a devida atenção às pressões relacionais pode fornecer aos namorados informações relevantes na construção de um plano de namoro capaz de contornar eventuais tentações em suas diversas formas, desde o início e até mesmo dentro do relacionamento. Quanto maior a compreensão bíblica da situação histórica relacional, melhor será o desenvolvimento do namoro dentro das verdades eternas da Palavra de Deus e suas aplicações às diversas situações do namoro. Uma boa maneira de tornar esse conceito prático é através de uma comunicação franca entre os namorados sobre o passado. O alvo é entender a história dos relacionamentos passados, guiados unicamente pelo objetivo de descobrir possíveis tentações para o presente relacionamento.

PRESSÕES SOCIOCULTURAIS

De certa forma, as influências socioculturais são desdobramentos naturais do item anterior, porém dentro de um alcance de influência maior. O contexto sociocultural desempenha um forte papel na construção de valores e prioridades dentro de um relacionamento; sendo responsável por influenciar padrões de beleza, admiração, atração e, consequentemente, as escolhas pessoais.

Cada cultura, uma cultura

Essas influências são identificadas dentro da própria cultura e variam numa escala de valores e prioridades. Por exemplo, dentro de algumas culturas africanas, a mulher atraente é a mulher obesa, o oposto ao Ocidente, onde a mulher magra é valorizada e tida como padrão estético. Ou seja, as pressões socioculturais influenciam no modo como os candidatos ao namoro enxergam a importância da atração física. Observações desse tipo entre culturas diferentes sugerem que influências socioculturais desempenham um papel significativo na escolha do cônjuge.

Beleza aos olhos de quem vê

Um dos elementos mais atacados dentro dessa influência é a própria beleza. Normalmente a beleza não é um conceito isolado de outros parâmetros. A questão de preferências culturais está associada a um conjunto de padrões nem sempre facilmente identificado ou sistematizado. No mesmo exemplo da mulher africana, nota-se que a mulher obesa é tida como bela porque demonstra bons cuidados e alimentação abundante, ou seja, um sinal de bom nível social em uma cultura onde miséria e escassez são características comuns. Já no Ocidente, a estética é associada a valores comerciais, que moldam um padrão de beleza de magreza e simetria com fortes influências da indústria do entretenimento cinematográfico.

Ao longo da história, é possível notar que o padrão de beleza acompanha as prioridades e valores sociais.[83] Da Grécia Antiga ao Ocidente Contemporâneo é possível identificar valores por trás do conceito de beleza que pressionam a avaliação e classificação do que é belo. O belo passa a ser visto apenas através das lentes sociais e não divinas. Rapazes e moças são avaliados por suas capacidades individuais em demonstrar posições e destaques sociais e não por um caráter aprovado diante de Deus (Sl 112; Pv 31.30; 2Tm 2.8-10).

Observações do cotidiano indicam que o conceito de beleza dificilmente será desassociado do desejo. A atração e o desejo de possuir (i.e. cobiça, por violar princípios da Palavra de Deus) estão intimamente ligados ao conceito de beleza em geral, construído dentro dos limites e influências da sociedade e seus valores. Portanto, a ação de cobiçar é influenciada pelos valores de beleza sugeridos pela sociedade através dos diversos meios de comunicação. Esses valores podem ou não estar em conexão com a realidade, o que torna ainda mais perigosa a influência cultural no momento de escolha para os namorados.

---

[83] Umberto Eco, em seu livro *História da beleza* (São Paulo: Record, 2004, p. 37), faz uma interessante análise de como o padrão estético está associado a outros valores. "Não é por acaso que a Beleza se encontra quase sempre associada a outras qualidades. Por exemplo, à pergunta sobre o critério de avaliação da Beleza, o oráculo de Delfos responde: 'O mais justo é o mais belo'. Mesmo no período áureo da arte grega, a Beleza é associada a outros valores, como a 'medida' e a 'conveniência.' Acrescente-se a isso uma latente desconfiança dos gregos em relação à poesia, que irá se explicar em Platão: a arte e a poesia (e portanto a Beleza) podem alegrar o olhar ou a mente, mas não estão em conexão com a verdade."

Logo, fica claro que a influência sociocultural também deve passar pelo processo de renovação da mente junto com o conceito de beleza, que contribui na formação da atração física entre homem e mulher, tudo deve ser levado à obediência da Palavra de Deus (Pv 31.30; Rm 12.1, 2).

A pressão de escolhas exerce grande influência sobre o coração humano e precisa ser avaliada e resistida na medida em que exalta ídolos e não Deus e sua Palavra. O coração do homem nunca se satisfaz, por isso, não adianta procurar um "*Shopping Center* de Maridos" e nem de mulheres. Basta procurar a vontade de Deus e a beleza interior que dura para sempre.

RESUMINDO

1. O passado não determina o futuro de um namoro ou casamento, mas certamente exerce influência.
2. Quanto maior a compreensão bíblica do passado, melhor será o desenvolvimento do namoro dentro das verdades eternas da Palavra de Deus.
3. A cultura influencia silenciosamente os padrões na escolha do cônjuge.
4. A Palavra de Deus deve reinterpretar os valores do cristão na escolha do cônjuge.

PARA DISCUSSÃO

1. Como a pressão de colegas pode influenciar negativamente um jovem nas decisões relacionadas ao namoro?
2. Até que ponto é necessário lidar com situações do passado (família de origem, outros namoros, traumas etc.) para ter um namoro, noivado e casamento bem-sucedidos?
3. Qual a influência que os padrões de beleza da sociedade e principalmente da mídia tem no namoro?

4. Como o jovem cristão pode evitar que pressões relacionais e contextuais o influenciem por demais nas decisões relacionadas ao namoro, noivado e casamento?

18. O JUGO DESIGUAL

Um dos maiores desafios que o jovem enfrenta ao fazer uma prova tipo ENEM ou outros vestibulares é lembrar como aplicar as muitas fórmulas matemáticas. Uma fórmula que não ajudará em nada nas provas, mas que pode fazer toda a diferença em sua vida é esta:

$$1 + 1 > 2$$

Quando se trata de relacionamentos que visam à glória de Deus, como amizades, namoro, noivado e casamento, somente essa fórmula funciona. Um mais um tem que ser maior que dois! Ou seja, o que justifica relacionamentos de parceria, intimidade e comunhão é o reforço mútuo que permite que a soma das vidas seja maior que a contribuição de cada um à parte. Em outras palavras, a amizade bíblica, base para todos esses relacionamentos, provoca melhoras na vida de cada um, ao ponto de refletirem ainda melhor a glória de Deus. Produzem mais fruto juntos do que poderiam fazer separados. Essa é a matemática divina de relacionamentos duradouros.

Dr. Paul Jehle comenta sobre a importância de o casal ministrar junto:

> É no ministério intenso com grande propósito que Deus quer que discirnamos nosso futuro cônjuge. (...) Enquanto

> trabalhamos lado a lado com outro indivíduo em ministério, seu caráter, e habilidade de ser coerente sob pressão, seus motivos são discernidos... Afinal de contas, o propósito principal de casar é realizar a expansão do Reino de maneira melhor do que poderia fazer à parte... Casamentos que não começam em ministério normalmente não continuam em ministério.[84]

Se essa fórmula já é importante em amizades comuns, quanto mais no namoro visando casamento! Um ótimo teste é identificar a diferença que o relacionamento faz na vida de cada um em termos de caráter, santidade e envolvimento no Reino de Deus. Enquanto o namoro progride, cada um deve avaliar se o relacionamento em si está, por exemplo, fortalecendo as áreas fracas de cada um. E tudo isso à luz do propósito maior do relacionamento a dois, a glória de Deus.

É interessante notar que Deuteronômio 22.10 adverte: *Não lavrarás com junta de boi e jumento*. Um jugo desigual entre animais de índole, força e disposição diferentes não facilitaria o trabalho do fazendeiro, mas resultaria em confusão, tensão, brigas e num trabalho malfeito. Quando aplicado ao ideal divino para o casamento, cada parceiro deve fortalecer o outro em virtude do "jugo" de compromisso mútuo ligando os dois. Assim reforçam as fraquezas um do outro, dando encorajamento mútuo, levantando o outro.

Eclesiastes ecoa o mesmo princípio:

Melhor é serem dois do que um, porque têm melhor paga do seu trabalho.
Porque se caírem, um levanta o companheiro,
ai, porém, do que estiver só; pois, caindo, não haverá quem o levante.
Também, se dois dormirem juntos, eles se aquentarão;
mas um só, como se aquentará? Se alguém quiser prevalecer contra um,
os dois lhe resistirão; o cordão de três dobras
não se rebenta com facilidade (Ec 4.9-12).

---

[84] JEHLE, Paul. *Dating vs. courtship*, p. 65.

Um texto já visto, e que é muito usado para defender esse tipo e parceria é 2Coríntios 6.14 -16 que diz:

> Não vos ponhais em JUGO desigual com os incrédulos, porquanto que SOCIEDADE pode haver entre a justiça e a iniquidade? Ou que COMUNHÃO da luz com as trevas? Que HARMONIA entre Cristo e o Maligno? Ou que UNIÃO do crente com o incrédulo? Que LIGAÇÃO há entre o santuário de Deus e os ídolos? (Grifo do autor).

Temos de reconhecer que o contexto de 2Coríntios não trata especificamente de namoro, nem de casamento. Mas entendemos que há implicações para amizade, namoro, noivado e casamento nesta série de perguntas retóricas.

De acordo com 2Coríntios 6.1-13, Paulo evitava colocar qualquer causa de ofensa no caminho de outros, pois assim fazendo ele teria minado a credibilidade do seu ministério. Nesse contexto, ele se direciona à congregação problemática dos coríntios, cuja prática de criar escândalos entre irmãos prejudicava seu testemunho no mundo - pelo jugo desigual. O "jugo" ou "canga" era uma ferramenta usada para juntar dois bois para um propósito comum (cultivar um campo). O jugo DES-igual era a canga que unia dois animais diferentes e incompatíveis, seja de espécie ou de índole. O uso dessa figura agrícola é apropriado à luz do alvo do casamento cristão como desenvolvido em Gênesis 1.27, 28 e 2.15-18. Homem e mulher devem complementar-se mutuamente em serviço espiritual, unidos, com uma só alma, enquanto "cultivam" os campos do mundo.

Enquanto a proibição contra parcerias íntimas com descrentes tem muitas aplicações, o texto aqui tem sido aplicado tradicionalmente ao jugo conjugal, e com razão. Paulo oferece uma série de cinco perguntas retóricas que levam à conclusão óbvia de que crente e descrente não têm nada em comum para justificar uma parceria ou sociedade. Tal união prejudica o testemunho e o impacto do cristão em termos do serviço ao Rei e ao Reino.

Normalmente esse texto é abordado com jovens e adolescentes, como advertência contra namoro com incrédulos, ou talvez contra sociedade comercial com não crentes. A ênfase recai sobre o jugo DES-igual. Mas devemos também considerar o texto por uma ótica oposta, mais positiva, que reconhece no jugo IGUAL uma oportunidade de: sociedade, comunhão, harmonia, união e ligação, tudo visando a maior e melhor expressão da glória do Deus trino, que existe em perfeita harmonia, três-em-um.

Por que jugo igual? Porque o PROPÓSITO do casamento é serviço mútuo do Agricultor e seu Campo! (Gn 2.15,18) O serviço não será feito quando não houver esse acordo ministerial. De fato, será atrapalhado.

O pastor Mark Driscoll cita três razões práticas por que o jugo desigual atrapalha o relacionamento conjugal:

1. O não-cristão não tem a mínima condição de entender quem você é porque não conhece o Jesus a quem você serve.

2. Pelo fato de a Palavra de Deus ser autoridade máxima no casamento cristão, um relacionamento com alguém que não confia na Bíblia cria dois sistemas de valores que muitas vezes se contradizem.

3. Nos tempos difíceis (inevitáveis), o casal não terá um mecanismo mútuo de lidar com o pecado que interferirá no relacionamento.[85]

A ideia de "aliança" ou "acordo" está implícita no termo "jugo". Dificilmente um jugo ligava dois animais que não estavam dispostos e "de acordo". Assim como o profeta Amós perguntou: *Andarão dois juntos, se não houver entre eles acordo?*(3.3).

Mesmo que esse texto tivesse sua aplicação principal em outros tipos de parceria, há MUITOS outros textos que falam a respeito do casamento misto. O pano de fundo do Antigo Testamento na área conjugal é extensivo e unânime na condenação do jugo desigual.

---

[85] DRISCOLL, Mark. *Dating, relating and fornicating.*

O pastor Thiago Zambelli examinou múltiplos textos bíblicos que tratam desse tema.[86] Veja algumas das suas conclusões:

A expressão jugo desigual, derivada de uma palavra grega, foi utilizada pelo apóstolo Paulo em 2Coríntios 6.14. Muito possivelmente, a escolha de usá-la foi proveniente de seu conhecimento do [Antigo Testamento]...[87]

Jugo desigual é um relacionamento consensual que envolve intimidade, afinidade e amizade entre um crente e um incrédulo, mas que compromete e deteriora a comunhão do salvo com o Salvador...

Todo o conteúdo [do Antigo Testamento] traz à luz princípios que devem ser observados pelos cristãos, pois apresentam o caráter imutável do único Deus. Além disso, Jesus ensinou que todo o [Antigo Testamento] tinha lições que convergiam em sua pessoa (Lc 24.27), cujos passos devem ser imitados (1Pe 2.21).

Muitas lições foram deixadas em cada trecho em que a Bíblia revelou algo sobre o tema jugo desigual. Algumas delas se repetem e outras são o foco do episódio...

APLICAÇÃO ATUAL

No passado, o jugo desigual foi tratado por Deus com muita severidade e seriedade. Algumas vezes Deus foi mais tolerante do que outras, mas nunca perdeu de vista a justiça prometida. A vontade de Deus sobre jugo desigual não mudou porque Jesus tornou a comunhão de Deus e dos homens possível. A justiça divina ainda é aplicada em nossos dias, todavia, de diferente forma. É pouco provável que nos tornaremos escravos de outros povos por escolhermos equivocadamente os nossos cônjuges, mas será muito possível que nosso relacionamento com Deus se esfrie por nos tornarmos

---

[86] ZAMBELLI, Thiago. O jugo desigual em relacionamentos conjugais nas Escrituras. Projeto final de mestrado em Ministérios, Atibaia, SP: Seminário Bíblico Palavra da Vida, 2010.

[87] ZAMBELLI. Prefácio.

tolerantes às cosmovisões seculares, como também exemplificado na história de Israel. Ter nossa comunhão com Deus afetada é estarmos fora do propósito divino...

Como crentes e parte do corpo de Cristo (igreja), devemos entender que o erro de um dos membros causa dores e problemas para todo o corpo. A história também revelou que a má escolha por parte de um homem gerou graves consequências para toda a nação. Devemos, com amor e paciência, avisar nossos irmãos sobre os alertas de Deus em relacionamentos que o desagradam. Esta não é uma tarefa somente para pastores e líderes, mas para todos aqueles que zelam pela boa saúde da igreja.

Não sabemos ao certo quais serão as exatas consequências do cristão que escolhe o jugo desigual. Conhecemos, entretanto, que uma decisão como essa destina o crente à perda da possibilidade de plena comunhão com Deus. Sendo ele nossa primeira razão pela manutenção de nossas vidas (Cl 1.17), será que há pior resultado que não haver intimidade com aquele que nos provê com a vida? É claro que não. Portanto, guarde sempre a palavra de Deus para não pecar contra ele (Sl 119.11).

À luz desse estudo sobre jugo (des-) igual, podemos afirmar uma lição principal sobre o casamento, que tem aplicações no período do namoro e noivado:

NAMORO, NOIVADO E CASAMENTO PARA O CRISTÃO REPRESENTAM PARCERIA A BEM DO REINO DE DEUS.

Ou seja, 1 + 1 > 2!

RESUMINDO

1. Para o Reino de Deus, o que justifica um relacionamento que culmina em casamento é que a soma das suas vidas em conjunto seja maior que a contribuição de cada um à parte.

2. Homem e mulher devem complementar-se mutuamente em serviço espiritual enquanto realizam a obra de Deus.
3. As Escrituras são unânimes em sua condenação do jugo desigual.
4. O jugo desigual une duas pessoas que pertencem a reinos diferentes, com objetivos diferentes e autoridades diferentes.
5. O jugo desigual é uma fórmula para desastre à luz dos propósitos principais pelos quais Deus fez o relacionamento a dois.

PARA DISCUSSÃO

1. A proibição contra o jugo desigual aplica-se além da questão de sociedade entre crente e não crente? Em outras palavras, pode ter aplicação para dois crentes que têm chamado ou nível de maturidade espiritual diferente?
2. Como você responderia a alguém que afirma que precisa se divorciar do seu cônjuge porque o casamento aconteceu quando um era descrente, e por isso nunca foi a vontade de Deus?
3. Em suas próprias palavras, explique a ideia por trás da "fórmula" 1 + 1 > 2.
4. Se um membro da igreja insiste em casar-se com um não crente, é uma questão para disciplina eclesiástica?
5. Como você responderia ao argumento de um jovem que diz que namora descrentes como maneira de evangelizá-los?

19. DEBAIXO DO GUARDA-CHUVA: OS PAPÉIS DE PAIS E FILHOS NA DECISÃO DE NAMORAR

Uma música popular revela como a cultura que nos cerca encara o namoro como algo totalmente individualista, em que terceiros (especialmente os pais) não têm nenhum direito de opinar:

É melhor esconder essa nossa paixão
Não precisa ninguém saber
Vão querer te julgar
Vão até te dizer que eu
Vou te fazer sofrer...

Ficar contigo escondido
Pra nenhuma outra pessoa
Se envolver na relação
E acabar com nosso amor...

Não vamos deixar ninguém saber...
É melhor deixar tudo em segredo
Eu confesso que morro de medo
Da gente terminar...

Não vamos deixar ninguém saber
Não vamos deixar ninguém notar
É melhor namorar escondido

É gostoso um amor proibido
Nada vai nos separar nada vai.[88]

O "namoro escondido" e o "amor proibido" talvez pareçam ser novidades, mas o pai em Provérbios já advertia o filho contra seus perigos há quase 3000 anos quando descreve o "papo" da Senhora Sedutora: *A água roubada é doce, e o pão que se come escondido é saboroso* (Pv 9.17).

Talvez uma das maiores ameaças aos jovens hoje seja a falta de envolvimento dos próprios pais nos relacionamentos dos filhos e, depois, no casamento. Precisamos resgatar esse envolvimento dos pais nos relacionamentos românticos dos filhos. E filhos precisam buscar orientação dos pais nesse sentido!

Mas, o que vemos, são pais perdidos e filhos desorientados. Um tempo atrás a revista *Veja* fez uma reportagem intitulada *Filhos Tiranos, Pais Perdidos*:

> Em muitos lares, os pais é que se sentem desorientados e os filhos, na ausência de quem estabeleça limites à sua conduta, assumiram o papel de tiranos. Trata-se de uma bomba-relógio que começa a ser gestada cedo, mas cujos efeitos se agudizam na adolescência..."Chegamos a uma situação-limite. Está na hora de os pais recuperarem... sua autoridade", diz... Tania Zagury.... Ela defende que práticas que andavam esquecidas na educação dos filhos sejam resgatadas, em nome do futuro do próprio jovem - e da sociedade.[89]

O PAPEL DOS FILHOS

A nossa cultura nos ensina que a autoridade dos pais encerra quando o filho atinge 18 anos de idade ou a sua "independência". Mas essa ideia não se encontra em lugar nenhum na Bíblia. Não há

---

[88] *Namoro escondido*, Grupo Nosso Sentimento. Acesso em 7 de janeiro, 2012. http://letras.terra.com.br/grupo-nosso-sentimento/1596395/

[89] MARTHE, Marcelo. *A tirania adolescente*, *Veja*, 18 de fevereiro de 2004, pp. 71-77.

nada sagrado sobre 18 anos. De fato, há mais decisões importantes sendo tomadas DEPOIS dos 18 anos do que ANTES. Os pais precisam se posicionar de tal forma que ainda consigam influenciar a vida do filho nesse período tão importante. "Seus pais são os melhores amigos que você terá, fora seu cônjuge."[90] Outro autor sugere que a maturidade não é uma questão de independência da influência de terceiros (como os pais): "Maturidade verdadeira não se mede em termos das dependências que descartamos, mas das responsabilidades que assumimos."[91]

O filho precisa fazer sua parte para poder beneficiar-se da sabedoria dos seus pais e outros conselheiros. *É justamente nessa época que há uma transição de autoridade para amizade entre pais e filhos.* O filho precisa de pais amigos, de confiança, sábios, que veem os pontos cegos e que têm autoridade de orientá-lo pelos labirintos da vida. O autor e conferencista Jaime Kemp afirma:

> Os pais... podem discernir pontos fracos em você que, se não forem corrigidos, poderão ser prejudiciais para toda sua vida. Deus quer utilizá-los para lapidá-lo. Alguns desses pontos fracos são, por exemplo, ser preguiçoso, ingrato, impaciente, orgulhoso, descuidado, egoísta, explosivo, supersensível, ciumento, volúvel, dominador, desobediente às autoridades. É crucial... reconhecer que Deus está usando... pais, mesmo se forem descrentes, para desenvolver hábitos bons e saudáveis em sua vida.[92]

> Os pais devem ser os primeiros a serem consultados quando um filho ou uma filha sente que talvez tenha achado a pessoa que Deus lhe preparou como cônjuge; não somente porque é o padrão da verdade bíblica... mas porque normalmente é ao melhor amigo que se conta primeiro![93]

---

[90] PHILLIPS, Michael e Judy. *Best friends for life*, p. 46.

[91] HARRIS, Joshua, citado em Phillips, p. 32.

[92] KEMP, Jaime. *Namoro*, p. 22.

[93] JEHLE, Paul. *Dating vs. courtship*, p. 83.

É justamente nesta idade estratégica que Satanás consegue empurrar os jovens precipício abaixo, pois lhes falta a proteção dos pais como *guard rails* em suas vidas. A falta de conselheiros sábios, de conhecimento da Palavra de Deus, o constante bombardeio de influências negativas (mídia, colegas, escola, internet, entretenimento) contribuem para uma geração de jovens desgovernados e perdidos. Mas Deus colocou os PAIS e outros conselheiros biblicamente sábios nesta posição de autoridade e credibilidade para influenciar o coração dos filhos nas decisões mais importantes de suas vidas:

> A pergunta que temos que fazer é: quem devem ser os conselheiros em relação à confirmação sobre casamento? Primeiro, a Bíblia requer que honremos nossos pais. Sem dúvida eles devem ser as primeiras testemunhas. Logicamente, outros indivíduos mais velhos que nós – que têm experiência, que nos conhecem, que já nos lideraram, como líderes espirituais e outros conselheiros – também devem ser incluídos.[94]

Essas considerações nos levam à conclusão de que OS PAIS DEVEM SER OS AMIGOS MAIS PRÓXIMOS NA ORIENTAÇÃO DOS FILHOS QUANTO ÀS DECISÕES IMPORTANTES DO FUTURO!

Michael e Judy Phillips afirmam:

> Apesar do fato de os pais quererem que seus filhos e suas filhas se casem bem e estabeleçam casamentos sólidos, em grande parte os pais são relegados às margens de todo o processo de namoro e na escolha de um cônjuge, oferecendo um conselho aqui e ali, normalmente sem serem pedidos nem bem-vindos, enquanto os jovens decidem sozinhos com quem casar... Os pais que realmente amam a Deus e a seus filhos têm,

---

[94] Ibid., p. 96.

sim, o direito e o dever de ocupar um papel integral nas decisões de matrimônio dos seus filhos e filhas.[95]

Preparar os filhos para o futuro é um dos alvos principais de todo bom pai. Mas a questão do futuro muitas vezes paira tanto sobre os pais como sobre os filhos. Os filhos perguntam:

- O que fazer com a vida?
- Devo cursar uma faculdade ou não? Qual? Como pagar?
- Qual a melhor vocação?
- Devo casar? Com quem? Quando?

Os pais, por sua vez, têm outras indagações:

- Como melhor orientar os filhos sobre as decisões importantes a serem tomadas?
- Até que ponto devemos interferir na vida dele?
- O que fazer quando os filhos deixam o lar?
- Até que ponto devemos nos envolver com os "negócios" do filho depois de deixar a casa?
- Quanto "direito" ou responsabilidade temos para nos envolver no namoro/noivado?

Para melhorar o relacionamento com os pais, Jaime Kemp oferece algumas sugestões práticas:[96]

- Pergunte-se: "Será que fiz algo que tenha ofendido meus pais? Será que estou cooperando com Deus, deixando-me lapidar por eles?" Se for preciso, peça perdão aos seus pais (Mt 5.23,24).
- Expresse sua gratidão e seu amor aos seus pais verbalmente e através de atos práticos e criativos.
- Quando conversar com eles, evite elevar a voz, fazer acusações, usar palavras como "sempre" ou "nunca" etc. (Pv 15.1).

---

[95] PHILLIPS, Michael e Judy. *Best friends for life*, p. 30.

[96] KEMP, Jaime. *Namoro*, p. 22. Lista adaptada.

- Deixe Deus mudar o coração dos pais e não pregue para eles (Pv 21.1).

O PAPEL DOS PAIS

Neste capítulo também queremos sugerir princípios e ideias em termos do envolvimento dos pais nos relacionamentos dos filhos. Reconhecemos que isso para alguns já soa como antiquado e ultrapassado. Mas entendemos que Deus colocou pais e outras autoridades (pastores/presbíteros, ou seja, líderes espirituais) na posição de GUARDA-CHUVAS na vida dos jovens. Oferecem proteção contra a chuva mundana e carnal que aproveita as brechas de ingenuidade, inexperiência e cegueira emocional, sem falar dos hormônios a todo vapor. Sem a perspectiva de terceiros e especialmente aqueles que nos conhecem bem e enxergam onde nossa visão é limitada, corremos sérios riscos de avançar em relacionamentos nada saudáveis e que não contribuem para a glória e o Reino de Deus.

Sabemos que muitos jovens não têm pais que desempenham seu papel na orientação sobre relacionamentos. Também reconhecemos que o relacionamento entre muitos jovens e seus pais, mesmo os que são crentes, talvez não permita um compartilhar profundo e íntimo sobre questões amorosas. Mas também cremos que esse é o alvo, e os princípios compartilhados aqui, mesmo para aqueles que não têm pais cristãos, podem ser úteis e até servir para encorajá-los a buscar nos pais ou outros conselheiros sábios a direção que tanto precisam.

PRIORIDADES CONFUSAS

Infelizmente, enquanto muitos pais se esforçam demais para dar o melhor para seus filhos (escola, esporte, música etc.) visando prepará-los para o sucesso no vestibular, na carreira e outras atividades importantes da vida, são poucos que realmente se dedicam ao preparo dos filhos para relacionamentos duradouros de namoro e casamento. Este treinamento deve começar cedo e continuar até o dia do casamento e depois, quando os filhos buscam nos pais conselhos sábios para enfrentarem as tempestades da vida.

Pais e mães que querem o melhor para seus filhos devem se preocupar em ensinar-lhes habilidades essenciais para o bom funcionamento do lar. Tanto homens quanto mulheres devem ter noções básicas de como cozinhar, costurar, lavar roupa, organizar seu dia, cuidar das contas bancárias, fazer consertos simples em casa e no carro e tomar decisões financeiras. O jovem cujos pais (ainda) não fizeram isso deve correr atrás deles ou de alguém apto para lhes ensinar.

Mas se existem dificuldades com habilidades domésticas, quanto mais com habilidades morais! Os pais e conselheiros precisam usar as armas do arsenal paterno para proteger e preparar os filhos para pureza moral e um casamento feliz.

Os pais têm um papel crucial na preparação dos filhos para o futuro. Precisam andar uma linha muito fina, evitando viver a vida do filho, ou viver a sua vida novamente através dele. Orientar, sem controlar. Deixar amadurecer, sem superproteger.

ORDEM DIVINA

Dois textos bíblicos tratam especificamente da responsabilidade de submissão às autoridades que Deus colocou em nossas vidas para nos direcionar dentro da vontade dele:

> *Devemos nos sujeitar às autoridades que existem para honrar os bons e castigar os maus* (1Pe 2.13-15).
>
> *Devemos nos sujeitar às autoridades como sendo representantes de Deus. Eles devem preservar a paz, louvando o bem e castigando o mal* (Rm 13.1-4).

A vontade de Deus muitas vezes revela-se através das autoridades que ele mesmo colocou em nossas vidas. Autoridades nos protegem contra as tempestades da vida. Enquanto ficamos sob sua proteção, ficamos seguros. Fora, ficamos expostos a muitos perigos. Os pais não podem abnegar sua responsabilidade de orientar os filhos e os filhos precisam ouvir e honrar aos pais, colocando-se, na medida do possível, debaixo dessa proteção.

Na maioridade, os pais continuam como autoridades na vida dos filhos, mas tendem a exercer essa autoridade de forma menos "autocrata" e mais "amigável". Mas enquanto o filho continua debaixo da autoridade dos pais, tem o dever de honrá-los e obedecê-los em suas orientações. Os pais devem fazer de tudo para cumprir essa responsabilidade, ajudando o filho nas decisões difíceis que precisa tomar. E o filho deve consultá-los para melhor compreender a vontade de Deus.

INTERCESSÃO

O envolvimento dos pais na vida dos filhos vai além da orientação e proteção. No início do livro de Jó, lemos que Jó agia como sacerdote/pastor da sua família, intercedendo sempre pelos filhos, mesmo sendo adultos, procurando protegê-los contra diversos perigos espirituais (Jó 1.1-5).

INSTRUÇÃO

No livro de Provérbios, uma das principais responsabilidades dos pais é preparar seus filhos para o futuro lar. O pai, em Provérbios 5, 6 e 7, faz justamente isso com seu filho, orientando-o sobre relacionamentos com o sexo oposto. Veja esse resumo das responsabilidades dos pais (e dos filhos):

Provérbios 5	Provérbios 6	Provérbios 7
Ensinar	Exortar	Encenar
O pai ensina o filho ANTES que os colegas	O pai exorta contra o pecado sexual	O pai relata uma experiência de sedução e os resultados
O pai traça o ciclo de morte que acompanha a sedução: – A realidade da tentação – Os resultados da tentação – As respostas à tentação • Contentamento conjugal • Onisciência divina • Consequências ruins	O pai usa analogias para advertir o filho – O colar – A bússola – A lâmpada – Fogo no seio – Andar sobre brasas – O ladrão	O pai descreve como deu tudo errado com o jovem despreparado – Cabeça errada – Lugar errado – Hora errada – Pessoa errada – Palavras erradas – Resposta errada – MORTE ERRADA

E MAIS...

Algumas das responsabilidades principais que os pais têm ao preparar seus filhos para o namoro e casamento são:

1. Fornecer orientação sexual (Pv 5,6,7).
2. Proteger o coração e a pureza sexual do filho (Pv 4.23; Ct).
3. Determinar a maturidade, idade, padrões e limites para o namoro.
4. Acompanhar o progresso do namoro e conhecer o(a) namorado(a).

5. Preparar o casal para o casamento (Tt 2.3-5).

Jovens cujos pais não desempenham seu papel devem procurar esse tipo de relacionamento, se não com os pais, pelo menos com alguma outra autoridade em sua vida.

E A IGREJA?

Infelizmente, muitos pais não entendem que têm responsabilidades sérias na orientação e preparação dos filhos em relação ao namoro e casamento. Parte da culpa por isso cabe à igreja, que em vez de capacitar os pais para essa tarefa, tem delegado à mídia, à escola, à internet e aos colegas a responsabilidade de "educar" o jovem quanto à sua sexualidade e relacionamentos amorosos.

Deus chamou a igreja e os seus líderes ao ministério de EQUIPAR os santos para a obra do ministério (Ef 4.11,12), para uma vida santa e agradável a Deus, inclusive nos relacionamentos entre os sexos.

A seguir, algumas sugestões como igrejas podem (e devem) preparar pais a orientarem seus filhos sobre namoro, noivado e casamento:

1. Equipar pais para desempenharem suas responsabilidades como guardiões do coração dos seus filhos.

2. Instruir jovens acerca dos padrões bíblicos quanto ao casamento, pureza sexual, jugo igual, papéis do homem e da mulher e o relacionamento com o sexo oposto.

3. Manter um alto padrão no que diz respeito ao divórcio e recasamento na igreja (criar uma cultura eclesiástica bastante desfavorável ao divórcio, mesmo não desprezando ou inferiorizando os divorciados e fazendo de tudo para restaurar relacionamentos em risco).

4. Orientar (acompanhar) casais de namorados e noivos, preparando-os para o casamento.

O NINHO VAZIO

O preparo dos filhos para o futuro tem outra dimensão. Os pais precisam se preparar para o dia em que não haverá mais filhos em casa. A saída do último filho pode ser um momento traumático para muitos pais. Esse momento, conhecido por alguns como "O ninho vazio", representa outro desafio para os pais.

Os filhos precisam se esforçar, em meio à euforia do namoro, noivado e preparação para casamento, para entender a mistura de emoções fortes que normalmente acompanham os pais nestes momentos. Não é nada fácil, depois de tantos anos de investimento profundo na vida dos filhos, ver essa fase de suas vidas chegando ao fim. Em alguns casos, tem sido causa de grande estresse entre os próprios pais, inclusive, culminando em divórcio. Em outros, um fato que leva à depressão.

Jaime Kemp desafia os jovens namorados a considerar a vida do ponto de vista de seus pais:

> Você já parou para pensar quais as dificuldades que seus pais estão enfrentando agora? A tendência de uma pessoa [jovem] é ser egoísta e ver a vida somente do seu ponto de vista. Quem sabe seus pais estão passando por problemas financeiros, tentações e mudanças emocionais em suas próprias vidas. Pode ser que isto esteja causando, em parte, problemas no relacionamento entre eles. Seja mais sensível às necessidades deles e procure entendê-los.[97]

Enquanto a obediência aos pais se encerra quando o jovem se casa, honrá-los constitui-se num dever contínuo. A Palavra de Deus repete não menos de NOVE VEZES o desafio dos filhos honrarem seus pais se é que desejam a bênção de Deus pairando sobre suas vidas.[98] Os filhos carinhosos e gratos farão todo o

---

[97] KEMP, Jaime. *Namoro*, p. 22.

[98] Veja Êxodo 20.12; Deuteronômio 5.16; Malaquias 1.6; Mateus 15.4,19.19; Marcos 7.10, 10.19; Lucas 18.20; Efésios 6.2.

possível para honrar os pais nesta fase e tentar compreender um pouco a perspectiva deles sobre essas mudanças.

UM DESAFIO FINAL

Faz tempo que a sociedade em geral abandonou o ensino bíblico sobre a centralidade do lar e os papéis dos pais e da igreja na preparação para a vida conjugal. Torna-se necessário um resgate de práticas esquecidas no treinamento de jovens para uma vida familiar bem-sucedida. O "namoro escondido" e o "amor proibido" talvez tenham seu gosto inicial, mas no fim culminam em amargura e remorso.

RESUMINDO

1. Um dos maiores perigos que ameaçam os jovens é a falta de envolvimento dos próprios pais em seus relacionamentos.
2. A ideia de que a autoridade dos pais encerra quando o filho atinge 18 anos não encontra respaldo bíblico.
3. Os filhos devem buscar conselho de seus pais quanto aos seus relacionamentos.
4. Os pais devem ser os amigos mais próximos na orientação dos filhos quanto às decisões importantes do futuro!
5. A igreja deve equipar pais para orientarem seus filhos em questões de relacionamentos, e também orientar jovens, especialmente aqueles que não têm pais cristãos.

PARA DISCUSSÃO

1. Por que é um equívoco pensar que, depois dos 18 anos, os filhos não precisam mais se sujeitar aos pais?
2. Avalie a declaração: "Os pais devem ser os amigos mais próximos na orientação dos filhos quanto às decisões importantes do futuro".

3. O que pode fazer o jovem cristão cujos pais e/ou igreja não têm assumido seu papel de orientação e preparação dos jovens para namoro, noivado e casamento?

4. Quais passos práticos um jovem cristão pode seguir para se colocar debaixo do "guarda-chuva" dos seus pais e líderes espirituais?

20. AMIGOS PARA SEMPRE

Márcia não sabia como começou, mas não aguentava mais. Alguém da igreja havia espalhado um boato sobre ela e seu namorado, Marcos. Não era verdade, mas o que importava agora? Domingo à tarde, ao entrar na sala de reunião da mocidade, sentiu a mudança nas conversas e um frio paralisante.

Depois do culto, ninguém a cumprimentou. Todos viraram as costas e fizeram de conta que ela não estava ali. Justamente na hora em que decidia nunca mais voltar à igreja, sua melhor amiga, Jennifer, chegou perto, a abraçou e disse:

– Sei que você não é perfeita, Márcia, mas eu não acredito em nada do que estão dizendo. Estarei do seu lado sempre.

Todo mundo precisa de um amigo fiel, de confiança, especialmente nos momentos difíceis. Namoro é uma espécie particular de amizade; uma amizade mais profunda, com compromisso mais sério e propósitos específicos (de conhecer e ser conhecido, visando uma intimidade bem mais profunda no casamento). Assim sendo, o namoro é um período preliminar, de avaliação mútua em termos de propósito, personalidade e caráter. Conforme a definição bíblica de amizade como **compromisso,** não existe espaço para "namoro descompromissado", "namoro de férias", ou em nossos dias o "ficar".

O "ficar" foge do significado e do propósito de relacionamentos sadios e mutuamente edificantes propostos na Palavra de Deus. UM DOS MAIORES ERROS QUE ALGUÉM PODE COMETER É NÃO LEVAR A SÉRIO A IMPORTÂNCIA E O IMPACTO DO COMPROMISSO DE NAMORO.

Um namoro malconduzido tem um potencial tremendo para estragar o resto da sua vida! O envolvimento emocional e físico com alguém antes de verificar sua compatibilidade e assegurar compromissos de fidelidade (característica fundamental de amizade) facilmente obscurece sua objetividade no relacionamento. Muitas vezes leva a ressentimentos, culpa e ao fim do namoro.

Por isso é importante a "multidão de conselheiros" nos nossos relacionamentos com pessoas do sexo oposto, que poderão dar outras perspectivas e nos proteger de envolvimentos precoces. Por isso devemos dar valor à opinião das pessoas que mais nos conhecem: pais, parentes, pastores, professores e outros amigos.

Michael W. Smith canta uma música cujo título, *Amigos para sempre*[99] resume bem o ensino bíblico sobre amizade verdadeira:

> Ser amigos é pra sempre,
> Como eterno é nosso Deus
> Como amigos nós diremos,
> "Até breve", não "Adeus"
> Eu agora vou partir
> Sob a mão do pai seguir
> E, amigo, nada vai nos separar.

No tempo da juventude, nossas amizades têm um poder de influência quase sem par em nossas vidas. Talvez por isso, a Bíblia, especialmente o livro de Provérbios, tem tanto para falar sobre o assunto. Se namoro é uma classe especial de amizade, é preciso desenvolver padrões para um amadurecimento saudável.

---

[99] *Friends*, parceria com Debbie Smith (sua esposa), para o álbum *Michael W. Smith Project*, Reunion Records, 1983. Disponível em: <https://gggmedia.com/Michael_W.html> Acesso em 14 de maio de 2013.

CARACTERÍSTICAS DE UM BOM AMIGO

Um provérbio popular diz: "Diga-me com quem tu andas, e eu te direi quem és!" O livro de Provérbios diz: *O justo serve de guia para o seu companheiro, mas o caminho dos perversos os faz errar... Quem anda com os sábios será sábio, mas o companheiro dos insensatos se tornará mau* (Pv. 13.26, 12.20). Em outras palavras,

> O tolo escolhe amigos perversos
> Que levam sua vida a males diversos.

Alguns dizem que o homem é conhecido pelos amigos que tem. O bom amigo constrói o caráter do seu colega. O "amigo" perverso corrompe o caráter do seu companheiro. Se assim acontece com o amigo "comum", quanto mais no namoro!

A seguir, três características do bom amigo destacadas no livro de Provérbios, e que servem de peneira para distinguir entre um namoro saudável e aquele que é potencialmente prejudicial:

1) O bom amigo provoca melhoras no seu caráter. *Como o ferro com o ferro se afia, assim o homem ao seu amigo* (Pv 27.17). O princípio é bem conhecido no mundo dos esportes – seja na academia, no Cooper, ou outra competição. O companheirismo serve para estimular um desempenho melhor do amigo. Há encorajamento, exortação, desafio e competição sadia. Assim, o amigo verdadeiro deve ser alguém que desafia a você, cujo exemplo é contagioso. Talvez não seja a pessoa mais popular, segura, ousada, ou extrovertida, mas tem uma vida digna de ser seguida. Ele desafia o caráter do seu amigo a ser parecido com Cristo. Faz com que o amigo reflita mais e mais a vida outrocêntrica de Jesus.

Nem sempre será agradável. Assim como acontece quando ferro bate em ferro, pode sair faíscas. Mesmo que o processo doa, não desista! Outros ao seu redor perceberão o efeito positivo de uma amizade (ou namoro) saudável.

O verdadeiro amigo não usa máscaras. Tem "peito" para **confrontar** o companheiro, porque ama o amigo mais que a própria amizade. Por isso critica franca e humildemente quando é necessário. Essa é uma amizade verdadeira. Esse é o alvo do namoro.

2) O bom amigo dá conselhos sadios. *Leais são as feridas feitas pelo que ama, porém os beijos de quem odeia são enganosos... Como o óleo e o perfume alegram o coração, assim o amigo encontra doçura no conselho cordial* (Pv 27.6,9). Pelo fato de o amigo conhecer Deus e você, ele é capaz de dar a palavra certa na hora certa – mesmo que não seja exatamente o que você queria ouvir! Ele dá conselhos sadios, provavelmente porque aplica bem a sabedoria divina à necessidade do amigo. Suas recomendações agradam seu companheiro porque dão certo! O namoro visa um aconselhamento mútuo baseado em conhecimento de Deus, da sua Palavra e Pessoa.

3) O bom amigo é fiel em todas as circunstâncias. *Em todo tempo ama o amigo, e na angústia se faz o irmão... Não abandones o teu amigo, nem o amigo de teu pai...* (Pv 17.17; 27.10a). A amizade bíblica não é interesseira nem transitória, mas um compromisso sério que sobrevive às tempestades da vida. Esse compromisso, em primeiro lugar, é com o próprio Deus e visa sempre o que é melhor para o amigo. Como este tipo de amizade tem se tornado raro em nossos dias! Mas esta é uma das marcas principais da amizade verdadeira. Ela não foge das dificuldades, pelo contrário, chega mais perto para **consolar** nas horas difíceis. Este compromisso de lealdade estende-se até a próxima geração (cf. Pv 27.10)!

Não é esse nível de compromisso que temos visto em muitos "namoros". O amor parece ser "eterno", mas somente enquanto dura, ou seja, somente enquanto me agrada!

Cabem aqui algumas perguntas difíceis:

> Será que sou um bom amigo?
> Eu tenho amigos de verdade?
> Estou influenciando positivamente os outros ao meu redor?
> Meu namoro é puro? Agradável a Deus? Dentro da sua vontade?
> Ando com maus companheiros?

Existem relacionamentos quebrados no meu passado que precisam ser consertados?

MEU NAMORO É CARACTERIZADO ASSIM?

O QUE EVITAR NO AMIGO

Assim como Deus nos encoraja a buscar amigos fiéis, ele também nos adverte contra o tipo de companheiro que nos faz mal. Alguns se enganam, pensando que receberão uma influência positiva ao se aproximarem de pessoas de mau-caráter. O fato é que estas pessoas devem ser objeto das nossas **orações** e do nosso **ministério**, mas não da nossa **amizade**.

Se uma noiva vestida de branco abraçar um colega coberto de lama, certamente estragará seu vestido limpo. Assim, aquele que assume compromissos de amizade com companheiros ruins só pode sujar seu caráter.

Provérbios alista em vários textos outros tipos de companheiros que o crente deve evitar, pelo simples fato de que a lama do seu caráter certamente sujará aqueles ao seu redor. Veja estes versículos e pense em pessoas que você conhece, mas pense também no seu namoro.

1) **Evitar pessoas violentas** (16.29; 3.31,32 ; 4.14-19). Precisamos perguntar quem são nossos heróis, as pessoas que respeitamos e imitamos. O filho de Deus não tem inveja de pessoas arrogantes e "brigonas", nem cultiva amizade com elas. Se você está namorando uma pessoa violenta, caia fora agora, enquanto ainda há chance!

2) **Evitar pessoas iradas** (22.24,25). O "iracundo", conforme estes versículos, leva seu companheiro ao buraco. Outros acabam pagando o preço por tal associação.

3) **Evitar os libertinos (liberais)** (23.20,21; 28.7). O cristão que se preocupa com seu caráter evita pessoas que não são moderadas em seu falar, comer e beber. Seu vício é contagioso e acaba espalhando-se para todos ao seu redor.

4) **Evitar os rebeldes** (24.21,22). O último grupo que a pessoa sábia evita inclui os "revoltosos", aquelas pessoas com atitude

ruim, que sempre resmungam, reclamam, resistem autoridade, são desobedientes e arrogantes. Ignoram o fato de Deus constituir autoridades sobre cada um de nós. Seu desrespeito para com pais, professores, pastores e o próprio governo nada mais é do que um menosprezo de Deus. Com estas pessoas o cristão não deve se associar, muito menos formar amizades ou iniciar um namoro.

É clara, então, a vontade de Deus quanto às nossas amizades em Provérbios. Mas como estes princípios se aplicam em relacionamentos ainda mais profundos, especialmente no namoro, noivado e casamento?

Em seu livro sobre pureza e santidade, Tissot e Rahill sugerem sete sinais de um relacionamento "patético" de namoro, ou seja, evidências de um relacionamento doentio e não construído sobre alicerces sólidos:

1. Comunicação pobre ou inexistente
2. Foco no relacionamento físico (gratificação imediata)
3. Outros ao redor ignorados ou esquecidos
4. Desempenho em outras áreas (por exemplo, crescimento espiritual ou intelectual) prejudicado
5. Exclusivismo
6. Tendência de o casal procurar esconderijos – situações e circunstâncias de privacidade e segredos
7. Defesa e justificação de atitudes e ações questionáveis[100]

COMO DESENVOLVER INTIMIDADE CRESCENTE VISANDO O CASAMENTO

Há quatro termos em Provérbios que representam níveis cada vez mais íntimos de relacionamento. Os primeiros dois, traduzidos como "colega" e "vizinho", são gerais e abrangentes. O terceiro, traduzido literalmente como "amigo", significa "aquele que ama" e reflete a ideia de **compromisso**, o amor que não

---

[100] TISSOT, Bob; RAHILL, Alex. *Sex, purity & holiness*, p. 17.

explora o relacionamento, mas se entrega ao outro. O último nível, o do "melhor amigo", se refere ao relacionamento entre marido e esposa (Pv 2.17): uma intimidade profunda em todos os aspectos de personalidade, um compartilhar total de duas pessoas em todos os níveis pessoais, um reflexo de que o relacionamento está caminhando rumo ao alvo – ser como Cristo.

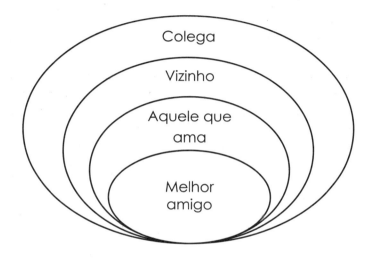

Tal intimidade não acontece da noite para o dia. Exige tempo, cuidado e conhecimento mútuo. Sugerimos aqui algumas maneiras de alcançar este nível de intimidade:

1. Desenvolva todos os aspectos da sua amizade antes de iniciar qualquer envolvimento físico.
2. Desenvolva uma amizade profunda centrada em Cristo, que visa uma vida "outrocêntrica" antes de assumir o compromisso de namoro.
3. Restaure relacionamentos quebrados no Corpo de Cristo (1Ts 4.3-8; Mt 5.23,24).
4. Escreva uma lista de qualidades de caráter, depois de muita reflexão, oração e avaliação, daquelas qualidades de caráter

que você entende, à luz das Escrituras, ser necessário desenvolver em SUA vida antes de casar (Essa lista pode ser mostrada aos pais, líderes espirituais ou a um amigo chegado como forma de prestação de contas e encorajamento ao crescimento espiritual). Para os homens, um ótimo texto bíblico para começar é o Salmo 112. Para as mulheres, uma lista ainda mais completa está em Provérbios 31.10-31.

5. Estabeleça seus próprios padrões de namoro de acordo com a Palavra de Deus ANTES de se envolver emocionalmente com alguém. Algumas sugestões:

- Vou namorar somente com crentes (2Co 6.14).
- Vou namorar somente com crentes que tenham o mesmo compromisso com Deus.
- Vou namorar somente com o encorajamento das autoridades que Deus colocou em minha vida.
- Vou evitar contato físico até chegar ao compromisso mútuo visando o casamento.

Michael e Judy Phillips em seu livro *Best Friends for Life* (*Melhores Amigos para Toda a Vida*) sugerem uma progressão natural de amizade até o compromisso de namoro:

- Primeiro - envolvimento com pessoas do sexo oposto EM GRUPOS MAIORES.
- Segundo – envolvimento com a pessoa por quem está interessado junto com familiares.
- Finalmente, aos poucos, mais tempo individual com a pessoa no "namoro".[101]

Amizade bíblica não é brincadeira. A vontade de Deus está clara – somente relacionamentos puros, compromissados e de longo prazo se enquadram na definição de amizade verdadeira. É isso que Michael W. Smith continua dizendo em sua música, *Amigos para sempre*:

---

[101] PHILLIPS, Michael e Judy. *Best friends for life*, p. 88.

Emoções, eu sei, florescem
Nesses corações amigos.
Tantas emoções vividas
São preciosas, nunca mais se esquecem.
Mas perto estarei para sempre
Como se nada hoje aconteceu.
Pois o amor brotou sincero
E vai nos conservar num só.

Ser amigo é pra sempre,
Como eterno é nosso Deus
Como amigos nós diremos,
"Até breve", não "Adeus"
Eu agora vou partir
Sob a mão do Pai seguir
E amigo, nada vai nos separar.

Que Deus nos dê relacionamentos profundos caracterizados pela definição bíblica de amizade: "Ser amigos é para sempre!"

RESUMINDO

1. Amor é compromisso que procura o bem do outro... sempre.
2. O amor verdadeiro sabe esperar, e por isso, pode desfrutar ao máximo as delícias que Deus sempre tencionou para o casal.
3. Tempo sempre é um aliado quando se trata de relacionamentos duradouros na vontade de Deus.
4. Deus reserva os maiores prazeres românticos para aqueles que sabem esperar o tempo dele.

5. A exclusividade do amor verdadeiro exige que haja muito cuidado na maneira de conduzir um namoro que ainda não culminou em casamento.

PARA DISCUSSÃO

1. Interaja com essa declaração: "UM DOS MAIORES ERROS QUE ALGUÉM PODE COMETER É NÃO LEVAR A SÉRIO A IMPORTÂNCIA E O IMPACTO DO COMPROMISSO DE NAMORO."
2. Como a "multidão de conselheiros" pode nos ajudar a determinar se nosso namoro caracteriza-se como uma amizade saudável à luz das Escrituras?
3. Das três qualidades de um bom amigo em Provérbios (provoca melhoras, dá conselhos sadios, é fiel em todas as circunstâncias) qual você acha mais importante no relacionamento a dois?
4. Volte a considerar as sugestões 4 e 5 dos passos para desenvolver uma intimidade crescente no namoro. Até que ponto são válidas? Quais itens você incluiria numa lista de qualidades desejáveis no seu futuro cônjuge? Você já tem um "pacto pessoal de namoro"?

21. AMOR À ÚLTIMA VISTA?

A filha de um amigo escreveu um depoimento sobre os avós dela. O depoimento foi publicado no jornal da sua faculdade como testemunho de um amor pouco conhecido hoje:

Meu avô foi marinheiro de submarino na II Guerra Mundial. Sempre foi um homem forte e silencioso. Mas, recentemente, enquanto seu corpo se enfraquecia, também diminuíam as paredes que ele havia erguido.

A última vez que visitei meus avós, meu avô tinha 92 anos de idade. Ouvi a vovó ajudando-o a deitar-se na cama. Em meio às exclamações de dor que claramente representavam a angústia e a dificuldade que eles estavam experimentando, ouvi o que provavelmente foi a mais linda conversa da minha vida.

Com sua voz áspera e grave, o vovô disse: "O que eu faria sem você, querida?"

"Ah, meu bem", ela retornou, "você ficaria muito bem."

Numa voz calma e amorosa, com anos de certeza e força já derretidos para esse ponto de fraqueza e total dependência, vovô insistiu: "Não sei o que eu faria sem você. Sou tão grato por você."

É isso aí, 67 anos de casamento condensados na conversa mais linda que já presenciei, numa forma muito simples.

Quando vejo um casal no final de seus anos, a vida se cristaliza em sua essência. Seu núcleo mais significativo é amar outra pessoa apesar das dificuldades que isso possa trazer...[102]

Amor é compromisso. Amor é procurar o bem do outro... Sempre.

Enquanto o mundo fala muito sobre paixão e romance, Deus fala sobre amor. Não amor à primeira ou segunda vista. Amor até à última vista.

Alguns acham que Deus fica envergonhado quando tratamos com ele de assuntos românticos, de paixão e sexualidade. Nada mais longe da verdade! Deus fala sobre a paixão romântica, pois foi ele quem a criou e abençoou. Ele dedicou um livro inteiro da Bíblia a esse assunto - o livro conhecido como Cântico dos Cânticos (ou Melhor dos Cânticos), o livro de CANTARES.

No livro podemos observar o progresso de um relacionamento amoroso que une homem e mulher em casamento. Talvez, o livro de Cântico dos Cânticos seja a maior vítima da interpretação alegórica dentro do estudo bíblico. Com receio de lidar com passagens de conteúdo aparentemente sensual, intérpretes de diversas épocas buscaram na interpretação alegórica um falso escape. Mas não há necessidade de "espiritualizar" essa história de amor entre um homem e uma mulher. A história descreve o desenvolvimento do amor romântico de um casal, Salomão e Sulamita, através das manifestações externas de um amor dinâmico que caminha para a maturidade.

Um exemplo extremo é a interpretação rabínica tradicional que interpreta os seios da mulher de Cântico dos Cânticos (Ct 1.13) como sendo os dois querubins que formam o "trono de misericórdia."[103] Isso é feito sem qualquer respaldo literário

---

[102] LEACH, Kristen. *The most beautiful conversation: reveling in 67 years together.* MUSE vol. 3, dezembro de 2011. Jack Leach, o avô, faleceu no dia 30 de dezembro de 2011.

[103] RYKEN, Leland. *Words of delight: A literary introduction to the Bible.* Grand Rapids: Baker Academic, 2007, p. 283.

convincente. Outras partes das declarações de amor entre Salomão e Sulamita são interpretadas como meras alegorias de elementos que descrevem a história e o relacionamento entre Israel e Deus.

De maneira semelhante, surgem interpretações alegóricas cristãs para a sensualidade permitida e encorajada de Cântico dos Cânticos. Salomão, o homem pastor, é interpretado como Cristo e sua amada Sulamita, como a igreja. Com o objetivo de contornar o debate sobre sexo dentro do território sagrado da Bíblia, a interpretação alegórica ganhou adeptos ao longo de toda a história do cristianismo.

No entanto, não é preciso fugir do tema para proteger a santidade da Palavra de Deus. O Criador do amor deixou, em sua suficiente Palavra, ricas instruções para o desenvolvimento de um relacionamento que une homem e mulher de forma dinâmica e santa dentro do compromisso de casamento. Daí a importância do comentário sobre a validade e a praticidade de Cântico dos Cânticos dentro do estudo de namoro e futuro casamento.

Não podemos perder a mensagem principal do livro. Esperamos, assim, uma palavra divina sobre o mais importante dos relacionamentos humanos. Deus se interessa, sim, com o desenvolvimento do amor matrimonial, inclusive o "namoro", as núpcias, a lua de mel e o cotidiano da vida a dois. O propósito central do livro é "exaltar o valor do amor conjugal como uma preciosa dádiva divina que deve ser obtida em pureza e preservada com perseverança."[104]

O Cântico dos Cânticos apresenta um padrão de intimidade crescente entre um homem e uma mulher que se amam, cujo relacionamento é descrito em uma linguagem pastoril e altamente figurativa.[105]

Dessa forma, a aplicação dos princípios de Cântico dos Cânticos ao namoro compromissado com o casamento torna-se clara a partir do desenvolvimento descrito no relacionamento entre

---

[104] PINTO, Carlos Osvaldo. *Foco e desenvolvimento no Antigo Testamento*, p. 581.

[105] Ibid., p. 579.

Salomão e sua noiva. Deus criou e abençoou o amor verdadeiro entre um homem e uma mulher. Mas quais as características desse amor? Como identificá-lo? Como distinguir entre "paixão" superficial e amor genuíno? Essas perguntas perturbam os jovens. Complicam a vida dos pais que desejam orientar seus filhos no caminho do amor.

O livro de Cantares identifica muitos elementos do amor verdadeiro, mas dois se destacam. O amor verdadeiro é caracterizado pela espera e pela exclusividade. Vamos investigar cada característica.

I. A ESPERA DO AMOR VERDADEIRO

Há muitas "estrofes" no "Cântico dos Cânticos", mas somente duas frases repetidas como "refrão". Cada frase aparece exatamente três vezes, no início, meio e fim do livro. Servem como "coros" que ecoam a mensagem central.

O primeiro refrão simplesmente diz: *não acordeis nem desperteis o amor, até que este o queira.* A frase aparece pela primeira vez em 2.7: *Conjuro-vos, ó filhas de Jerusalém, pelas gazelas e cervas do campo, que não acordeis nem desperteis o amor, até que este o queira.* Mais tarde se repete em 3.5 e 8.4.

Três vezes, em momentos de intensa paixão entre a noiva e o noivo, ela exorta suas amigas sobre a natureza do verdadeiro amor. O amor verdadeiro sabe esperar e, por isso, pode desfrutar ao máximo as delícias que Deus sempre tencionou para o casal. Amor verdadeiro não é precipitado, precoce, adiantado ou impaciente. Não precisa manipular as circunstâncias para "ganhar" amor. Não precisa seduzir para chamar atenção para si mesmo. Não precisa "se entregar" com medo de perder o amado.

É interessante notar que a mensagem do nosso mundo é exatamente o contrário - o amor é precipitado, apressado, forçado até ao ponto em que a pessoa que espera o tempo de Deus é considerada ultrapassada, estranha, talvez até mesmo "anormal".

Que engano de Satanás! Que tristeza quando crianças de 8, 10, ou 12 anos "namoram", até pelo incentivo de seus pais. Que pena quando adolescentes que não "ficam" têm sua sexualidade questionada! Que tragédia quando jovens universitários que ainda são virgens são marginalizados como "extraterrestres"!

O autor Jaime Kemp dá este conselho:

> O amor é sempre um processo de crescimento, e crescimento precisa de tempo. Uma palavra de aconselhamento: durante seu namoro procurem estar juntos em variadas situações do cotidiano e não somente naquelas programadas e preparadas. Isto dará oportunidade de ambos observarem as reações um do outro em meio aos diferentes tipos de pressões e circunstâncias da vida.
>
> A paixão tem pressa em se envolver romanticamente por medo de perder a outra pessoa. O perigo dessa pressa é que se acaba dizendo e fazendo coisas com o objetivo de preservar o sentimento de amor que, no entanto, não se conserva por muito tempo.[106]

Tudo isso coincide com o texto clássico sobre amor bíblico, 1Coríntios 13, que descreve o amor verdadeiro assim: É paciente... não arde em ciúmes... não se conduz inconvenientemente, não procura os seus interesses... tudo sofre, tudo crê, tudo espera, tudo suporta.

O livro de Hebreus bate na mesma tecla: *Digno de honra entre todos seja o matrimônio, bem como o leito sem mácula; porque Deus julgará os impuros e adúlteros.* (Hb 13.4). Como já vimos, 1Tessalonicenses 4.3-8 adverte solenemente contra a "defraudação", ou seja, a exploração sexual por fins egoístas.

Por que alguns apressam o amor? Há muitos fatores, mas a falta de confiança na soberania e no amor de Deus certamente se destaca. Deus tem, sim, um plano maravilhoso para nossas

---
[106] KEMP, Jaime. *Namoro*, p. 34.

vidas. Mas o medo de ficar na "solteirice" às vezes leva para relacionamentos precipitados. A pressão de colegas também faz com que abaixemos nosso padrão. Quando esquecemos que Deus tem tudo sob controle; que ele está produzindo a imagem de Cristo em seus filhos, para sua glória; e que ele desperta o amor na hora certa, é fácil cair na tentação de tomar a situação em nossas mãos.

Tudo tem o seu tempo determinado, e há tempo para todo propósito debaixo do céu... tempo de abraçar, e tempo de afastar-se de abraçar... tudo fez Deus formoso no seu devido tempo (Ec 3.1, 5,11).[107]

A EXCLUSIVIDADE DO AMOR VERDADEIRO

Outro refrão que também se repete três vezes (no início, meio e fim do livro) ecoa o princípio da exclusividade do amor:

O meu amado é meu, e eu sou dele; ele apascenta o seu rebanho entre os lírios (2.16).

É interessante notar que, no argumento do livro, a noiva fala da exclusividade do seu amor, guardado ANTES da consumação do casamento. Ela se reservou exclusivamente para o amado. O refrão se repete mais duas vezes no livro:

Eu sou do meu amado, e o meu amado é meu;
ele pastoreia entre os lírios (6.3).
Eu sou do meu amado, e ele tem saudades de mim (7.10).

O princípio não pode ser mais claro – no plano perfeito de Deus e falando dos (futuros) casados, EU NÃO SOU MEU – EU PERTENÇO A OUTRO! Cantares usa a figura de um

---

[107] O poema do "tempo" pelo Pregador ressalta a frustração do homem debaixo do sol, porque é incapaz de decifrar os tempos (3.9-14). Mesmo assim, o tempo do Senhor faz com que espere em Deus enquanto redime sua mocidade (12.1).

Amor à última vista?

jardim para descrever a noiva que soube guardar seu coração até o casamento: *Jardim fechado és tu, minha irmã, noiva minha, manancial recluso, fonte selada* (4.12). Mais tarde, o texto a descreve como sendo um muro, resistente às seduções, em contraste com uma porta que deixa qualquer um entrar (8.8-10). O PONTO É: MESMO ANTES DE CONHECER SEU AMADO, ELA SE RESERVOU EXCLUSIVAMENTE PARA ELE.

O Novo Testamento aplica essa verdade ao contexto do casal casado, em que o corpo de um pertence ao outro: *A mulher não tem poder sobre o seu próprio corpo, e, sim, o marido; e também, semelhantemente, o marido não tem poder sobre o seu próprio corpo, e, sim, a mulher.* (1Co 7.4)

O amor que espera, o amor que é exclusivo, é o mesmo que dura uma vida. É o que faz dos cônjuges "eternos namorados", ou pelo menos namorados até que a morte os separe. Esse amor também é romântico, mas não se dissipa como a paixão confundida com o amor. Ele perdura depois da primeira e segunda vista, e continua até a última.

Deus reserva os maiores prazeres românticos para aqueles que sabem esperar o tempo dele! Por isso, o amor perfeito é caracterizado por **Espera e Exclusividade:**

Não acordeis nem desperteis o amor, até que este o queira.

Eu sou do meu amado, e o meu amado é meu.

RESUMINDO

1. Deus criou a paixão romântica e o sexo.
2. O amor verdadeiro é caracterizado pela espera e pela exclusividade.
3. O amor verdadeiro sabe esperar, e, por isso, pode desfrutar ao máximo as delícias que Deus sempre tencionou para o casal.

4. O amor verdadeiro é exclusivo, focado em entregar-se somente ao (futuro) cônjuge.
5. O amor que espera e que é exclusivo é o mesmo que dura uma vida.

PARA DISCUSSÃO

1. Por que alguns intérpretes de Cantares têm "espiritualizado" o livro, negando (pelo menos em parte) sua aplicação para relacionamentos românticos?
2. Quais fatores levam alguns jovens a apressar relacionamentos de namoro?
3. Como o princípio da exclusividade do amor aplica-se até ANTES do namoro? Como essa ideia deve influenciar a seriedade com que tratamos relacionamentos com o sexo oposto?
4. Avalie a tese do capítulo: "Deus reserva os maiores prazeres românticos para aqueles que sabem esperar o tempo dele!" Você concorda? Discorda? Por quê?

22. CADA UM EM SEU DEVIDO LUGAR: TREINANDO PARA OS PAPÉIS NO CASAMENTO

Pastor:
Já cansei de tentar fazer com que meu namorado tome iniciativa! Parece que eu tenho que tomar todas as decisões – onde comer, o que fazer, quanto gastar, o que assistir, e muito mais. Só oramos juntos quando eu faço a sugestão. Eu sou líder da mocidade da igreja, e ele sempre me acompanha, mas não ocupa nenhum papel de liderança. Deve ser assim mesmo? Como fazer com que ele seja o líder em nosso relacionamento?

Apesar de toda a "libertação" que o movimento feminista tem proporcionado às mulheres, dentro e fora da igreja, cremos que a essência da natureza feminina, como Deus a criou, não é ser líder do lar e do relacionamento a dois. Reconhecemos que uma das consequências do pecado em Gênesis 3.16 é uma inversão de papéis, em que homens são passivos e omissos na liderança, e mulheres tentam "subjugar" seus maridos. Não é o que Deus tencionou para nós, e graças a ele o sacrifício de Cristo possibilitou um retorno ao padrão original (1Co 11.3). Mas mesmo em casais cristãos essas tendências se manifestarão.

Talvez pareça estranho incluir uma discussão sobre a perspectiva bíblica dos papéis de marido e esposa no casamento num livro que aborda namoro e noivado. Afinal, além do fato da Palavra de Deus não tratar diretamente da responsabilidade de cada um no namoro, certamente não exige dos namorados as mesmas responsabilidades de casados.

Mas, de acordo com o nosso argumento de que o namoro existe justamente para preparar os jovens para o casamento, faz sentido estudar mais a fundo os papéis que cada um desempenhará uma vez casados. Essa transição de solteiro para casado não acontece da noite para o dia. E por se tratar de uma área onde há MUITA confusão no mundo e na igreja, achamos necessário conversar um pouco sobre a perspectiva bíblica dos papéis.

A seguir, resumimos o ensinamento bíblico sobre os papéis de maridos e esposas no casamento. A nossa esperança é que o entendimento mais acurado desses papéis ajude a cultivar atitudes e ações, no namoro, que facilitarão o relacionamento conjugal depois.[108]

RESPONSABILIDADES DO MARIDO

Deus quer que maridos sejam ESTUDANTES de suas esposas

Do mesmo modo vocês, maridos, sejam sábios no convívio com suas mulheres e tratem-nas com honra, como parte mais frágil e coerdeiras do dom da graça da vida, de forma que não sejam interrompidas as suas orações (1Pe 3.7).

Ter sabedoria no convívio com a esposa é um comando para entendê-la em todos os aspectos de sua vida. Nada mais é que um desdobramento do conceito de "uma só carne" já estabelecido em Gênesis 2.24 e enfatizado por Paulo em Efésios 5.31. Em outras

---
[108] Baseado no material de Aconselhamento Bíblico, *Building marriages God's way*, equipe da Faith Baptist Church, Lafayette, IN.

palavras, crescer em sabedoria no convívio com a esposa cumpre parcialmente o propósito do relacionamento de uma só carne.

Embora a sociedade e a cultura enfatizem que é impossível entender uma mulher, Deus ordena que o marido compreenda sua mulher e aprenda a viver com ela de forma honrosa. Por isso, a primeira característica do papel do marido no casamento é estudar sua esposa. Esse é um "curso" que começa no início do compromisso de casamento e vai até que a morte os separe.

O versículo claramente coloca que as orações do marido são afetadas pela falha de ser sensível à esposa. Esse princípio é ecoado em outro texto, Salmo 66.18, que diz: *Se eu acalentasse o pecado no coração, o Senhor não me ouviria.*

Deus quer que maridos sejam AMANTES

Com certeza, esse mandamento não carrega o conceito pejorativo para a palavra "amante" existente na sociedade contemporânea. O princípio está relacionado à habilidade de crescer em amor à esposa, debaixo do reconhecimento que o amor é um mandamento modelado pela pessoa de Cristo.

Maridos, ame cada um a sua mulher, assim como Cristo amou a igreja e entregou-se por ela, para santificá-la, tendo-a purificado pelo lavar da água mediante a palavra, e para apresentá-la a si mesmo como igreja gloriosa, sem mancha nem ruga ou coisa semelhante, mas santa e inculpável. Da mesma forma, os maridos devem amar cada um a sua mulher como a seu próprio corpo. Quem ama a sua mulher, ama a si mesmo. Além do mais, ninguém jamais odiou o seu próprio corpo, antes o alimenta e dele cuida, como também Cristo faz com a igreja, pois somos membros do seu corpo. Por essa razão, o homem deixará pai e mãe e se unirá à sua mulher, e os dois se tornarão uma só carne (Ef 5.25-30).

Portanto, de acordo com Efésios 5.25-30, o marido deve ser amante de sua esposa. Deve amá-la de acordo com o amor bíblico:

A. *Amor sacrificial* (v. 25). Jesus Cristo é o modelo do amor. Como Jesus Cristo se sacrificou pela igreja o marido deve amar sua esposa, com a mesma intensidade e profundidade. Amor sacrificial significa abrir mão de supostos "direitos" em prol do bem-estar da amada. Significa pagar o preço maior em termos de desconforto, inconveniência, trabalho "sujo", proteção da família, e mais. Implica ouvir pacientemente a opinião da esposa quando já gostaria de tomar uma decisão. Não existem regras aqui, porque cada casal é diferente. Para um marido, lavar a louça pode ser um ato sacrificial que significa amor, enquanto que para outro talvez seja trocar a fralda do neném. A pergunta que cada homem deve fazer, inclusive a partir do namoro é: Quais os sacrifícios que posso fazer para servir minha esposa?

B. *Amor purificador* (vv. 26,27). Assim como Cristo santifica a igreja, o homem preocupa-se com o crescimento espiritual da sua esposa. Novamente, não há regras aqui, mas o homem deve ter atitudes de "pastoreio" para com a mulher. Podemos incluir: oração juntos; compartilhar sobre descobertas que fizeram no tempo diário na Palavra; leitura de bons livros juntos; ministério juntos; retiros espirituais e outros mais. Contrário à opinião popular, o homem como líder também tem a responsabilidade de vigiar questões de pureza do casal (e da sua futura família) em áreas como entretenimento e contato físico entre os dois. O namorado/noivo deve perguntar: Quais são as ameaças a minha namorada/noiva que devo vigiar para que ela possa prestar contas com honra diante do julgamento de Cristo? O que posso fazer para que ela permaneça pura nesse mundo?

C. *Amor que cuida* (vv. 28-30). O amor do homem para com a mulher é protetor, pois tenta livrá-la de perigos diversos, assim como o homem protege e cuida do seu próprio corpo. A maioria dos homens mostra um egoísmo exagerado no cuidado de si próprio, mas expõe a esposa a perigos, dificuldades, inconveniências e tarefas duras. O homem deve assumir os golpes que esse mundo desfere contra o casal. O homem deve perguntar: Como posso, de maneira prática, amar, proteger e cuidar da minha esposa?

D. *Amor inquebrável* (v. 31). O versículo 31 é uma citação direta de Gênesis 2.24. Deus projetou o casamento para durar até que a morte separe o casal. O compromisso do amor selado através da aliança ainda não é indissolúvel no namoro e noivado, mas deve haver seriedade no tratamento do relacionamento a dois para "preparar o palco" para a seriedade do matrimônio. Nesse versículo, Paulo enfatiza a unidade do casamento. O homem deve perguntar: Como posso desenvolver um relacionamento que respeita a seriedade do pacto entre homem e mulher no casamento?

Deus quer que maridos sejam LÍDERES

[...] *pois o marido é o cabeça da mulher, como também Cristo é o cabeça da igreja, que é o seu corpo, do qual ele é o Salvador* (Ef 5.23). Mais uma vez, Jesus Cristo é o exemplo para o marido. Nesse versículo, Jesus é o exemplo no que se refere à liderança do casamento. Liderança não é sinônimo de ditadura, mas de autoridade manifestada através de serviço humilde. Uma liderança que agrada ao Senhor é caracterizada por serviço humilde modelado a partir do exemplo de Cristo Jesus (Mc 10.45).

Às vezes, será difícil para o homem andar naquela linha tênue entre o amor sacrificial e a liderança determinada. Ser humilde e abrir mão dos direitos, ao mesmo tempo em que toma a frente, protege e decide. Somente a experiência ao longo dos anos ensinará como e quando deverá "insistir" numa decisão para o bem da família, e quando deve ceder, por amor à esposa. Mas faz parte da aventura fantástica do crescimento no relacionamento a dois.

Diante das características bíblicas do papel do marido no casamento, cada namorado, futuro marido e até mesmo o marido atual deve decidir se irá obedecer às ordens bíblicas ou viver voltado para outra fonte de verdade. O rapaz pode ter como projeto de vida durante o namoro e noivado desenvolver essas qualidades de caráter.

RESPONSABILIDADES DA ESPOSA NO CASAMENTO

Pessoas que não vivem a autoridade da Palavra de Deus podem achar que as características abaixo são desatualizadas. Porém, foram construídas a partir dos ensinos supraculturais e supratemporais das Escrituras no que se refere ao papel da mulher dentro do matrimônio.

Deus quer que as esposas sejam SUBMISSAS

Mulheres, sujeitem-se a seus maridos, como ao Senhor, pois o marido é o cabeça da mulher, como também Cristo é o cabeça da igreja, que é o seu corpo, do qual ele é o Salvador. Assim como a igreja está sujeita a Cristo, também as mulheres estejam em tudo sujeitas a seus maridos (Ef 5.22-24).

A passagem acima faz parte do trecho bíblico mais claro sobre os papéis conjugais nas Escrituras. [109] Faz parte da sequência de implicações referentes ao mandamento geral de imitar a Deus (Ef 5.1), ser cheio do Espírito (Ef 5.18), adorar a Deus e ser grato a ele (Ef 5.19-20), e ser mutuamente submisso a Cristo (Ef 5.21). Essa é a sequência de princípios que o apóstolo Paulo usou para introduzir o assunto da submissão da esposa para com o marido.

A passagem de Efésios 5.22-24 coloca o papel da mulher como submissa ao marido de três formas diferentes: (1) como mandamento, *sujeitem-se a seus maridos*; (2) através da metáfora de cabeça e corpo; e (3) através da comparação entre Cristo e a igreja.

Embora submissão seja um conceito bíblico e válido, não significa que a esposa é inferior ao marido. De forma análoga, Cristo foi submisso ao Pai (Jo 5.30; 1Co 11.3), mas isso não significa que Cristo é inferior ou "menos Deus" que o Pai. Submissão também não significa que o marido é infalível, ou que a esposa não pode pensar e opinar. Ou seja, a submissão da mulher ao marido não está relacionada à essência de sua personalidade, mas refere-se a sua função. A submissão mostra a atitude do coração (1Pe 3.1-6), provando o amor a Deus (Jo 14.31), em uma parábola viva da igreja obedecendo a Cristo (Ef 5.23).

Portanto, a submissão não priva a mulher de sua liberdade. Muito pelo contrário, a submissão permite a liberdade da mulher.

---

[109] Mais passagens ensinam o mesmo princípio: Colossenses 3.18; Tito 2.4, 5; 1Timóteo 2.9-12; 1Pedro 3.1-6.

Por exemplo, um trem é livre quando anda nos trilhos, não quando tenta andar pelo terreno acidentado. A submissão é o trilho que permite a mulher desenvolver seu papel por completo.

Deus quer que as esposas sejam AJUDADORAS

Então o Senhor Deus declarou: Não é bom que o homem esteja só; farei para ele alguém que o auxilie e lhe corresponda (Gn 2.18). Ao contrário do que a maioria pensa, a função de "ajudadora" não possui uma conotação secundária ou inferior ao que é ajudado. A ideia por trás do termo é de alguém que supre as necessidades de outra pessoa, ou que completa o outro.[110] Uma auxiliadora idônea é parte importante da equação.

De forma prática, a mulher pode exercer seu papel de ajudadora quando:

- Faz do seu lar um lugar seguro. A mulher sábia edifica a sua casa e faz dela um lugar de refúgio para o marido (Pv 14.1; 31.11, 20).
- É digna de confiança (Pv 31.11, 12).
- Mantém uma boa atitude (Pv 31.26, 28, 29; Tg 3.13-18; Fp 4.4).
- Conversa de forma amorosa, aberta e honesta (Ef 4.25).
- Está satisfeita com sua posição, suas posses e tarefas (Fp 4.6-13; Hb 13.5, 16).
- É diligente e cresce no exercício de sua diligência (Sl 128.3; Pv 31.10-31).
- Mantém sua beleza, especialmente a interior (1Pe 3.3-5).
- Mantém uma boa vida espiritual (1Pe 3.1, 2, 7).
- Cultiva a lealdade ao marido diante dos filhos.
- Demonstra confiança nas decisões do marido.

---

[110] Faith Baptist Church. *Building marriages God's way*, pp. 29-30.

Deus quer que as esposas RESPEITEM seus maridos

Portanto, cada um de vocês também ame a sua mulher como a si mesmo, e a mulher trate o marido com todo o respeito (Ef 5.33). Literalmente, o termo "respeito" indica "uma profunda medida de respeito por alguém."[111] É responsabilidade da esposa respeitar o marido. Isso é um comando e não uma opção. Portanto, a esposa não pode usar a desculpa de que "ele não merece o respeito." A esposa precisa respeitar o marido apesar de suas imperfeições.[112]

DESAFIO FINAL

Antes de tomar a decisão de casar, cada um precisa perguntar a si mesmo sobre sua disposição de obedecer a Deus no cumprimento de suas respectivas responsabilidades. Somos seres imperfeitos, egoístas, carentes da graça de Deus. Mas sem essa disposição de ser dirigido pelo Espírito de Deus, conforme sua vontade revelada na Palavra, não há condições para conduzir um casamento bem-sucedido.

No caso da carta que iniciou o capítulo, a namorada tem algumas decisões importantes pela frente. Primeiro, deve perguntar se estaria disposta a casar-se com um homem que recusa ser o líder do lar. E se ele nunca mudar? Segundo, falar com ele sobre a importância bíblica da liderança masculina. Terceiro, estabelecer um acordo sobre áreas onde ele PRECISA assumir a liderança. Por exemplo, em determinadas decisões, questões "espirituais", ministério etc. Quarto, fazer uma autoavaliação para ver se o problema não está nela, talvez esteja correndo tanto na frente que seu namorado fica sem jeito de assumir a liderança. Finalmente, reconhecer que há muitos estilos de liderança. Seria bom avaliar as ideias preconcebidas sobre a forma que a liderança pode assumir antes de concluir que o namorado não é um líder. O fato

---

[111] ARNDT, William; DANKER, Frederick W. e BAUER, Walter. *A Greek-English lexicon of the New Testament and other early christian literature*, p. 1061.

[112] Faith Baptist Church, *Building marriages God's way*, p. 31.

de ser quieto, tímido ou até mesmo lento ao tomar decisões não necessariamente significa que ele não seja um líder.

Fica aqui o desafio feito por um autor sobre essa disposição de cumprir nossos papéis no casamento:

> Você realmente tem a maturidade para sacrificar seu egoísmo pela responsabilidade daqui para frente? O amor que curte será a melhor coisa que já lhe aconteceu, mas vai lhe custar sua independência.[113]

RESUMINDO

1. Espera-se que o marido conheça sua esposa constante e progressivamente.
2. O marido deve amar sua esposa como Cristo amou a igreja.
3. O marido é chamado a liderar sua esposa.
4. Espera-se que a esposa seja submissa ao marido.
5. A esposa deve ajudar o marido.
6. A esposa é chamada a respeitar o marido.

PARA DISCUSSÃO

1. Até que ponto é válido desenvolver os papéis conjugais de homem e mulher no namoro?
2. O homem tem direito de exigir que a mulher seja submissa a ele durante o namoro e noivado? A mulher tem direito de exigir que o homem seja um líder amoroso? Qual o equilíbrio? Quando esses papéis começam a se manifestar?
3. Avalie esta declaração: "Sem a disposição de ser dirigido pelo Espírito de Deus e desempenhar os papéis de homem e mulher conforme a vontade de Deus revelada

---

[113] ZACHARIAS, Ravi. *I, Isaac, take thee, Rebekah*, pp. 97,98

em sua Palavra, não há como conduzir um casamento bem-sucedido." Você concorda ou discorda?

4. Interaja com essa ideia: "95% dos problemas no lar devem-se à falta de liderança amorosa do marido. Se ele como líder desempenhasse bem o seu papel, a esposa alegremente cumpriria o dela."

23. ENTRANDO NUMA BOA DISCUSSÃO: REGRAS DE COMUNICAÇÃO[114]

Pastor:

Eu e minha namorada estamos juntos há dois anos. Já desmanchamos nosso namoro três vezes. Parece que não conseguimos viver separados, nem juntos. As brigas normalmente são bobas, acabamos nos agredindo verbalmente e depois passamos dois ou três dias sem nos falar. Fico com medo de pensar no casamento se o namoro já é assim. Devemos desistir de vez? Há esperança para nós? Como podemos melhorar nossa comunicação?

Desistir de vez, ainda não! Mas casar, também não! O casal não está pronto! Uma das habilidades essenciais para um casamento saudável é a capacidade de resolver conflitos através de princípios bíblicos de comunicação. Trata-se mais de uma questão de CORAÇÃO do que de COMPORTAMENTO.

Conflitos são inevitáveis! O que mais nos preocupa não é a existência de desavenças no relacionamento, mas a falta da

---

[114] Baseado no material de treinamento básico de Aconselhamento Bíblico da Faith Baptist Church em Lafayette, IN.

maturidade ao lidar com elas. Brigas "bobas" normalmente refletem um egoísmo nato do coração humano que defende SEUS direitos e não segue o princípio de Filipenses 2.3,4: *Nada façam por ambição egoísta ou por vaidade, mas humildemente considerem os outros superiores a si mesmos. Cada um cuide, não somente dos seus interesses, mas também dos interesses dos outros.* Em outras palavras, eu quero o que quero quando quero, e brigo para realizar meu desejo (Tg 4.1-4).

A agressão verbal é também doentia. Dois textos bíblicos devem ser memorizados (e aplicados) por todos os casais:

A resposta branda desvia o furor, mas a palavra dura suscita a ira (Pv 15.1).

Irmãos, se alguém for surpreendido nalguma falta, vós, que sois espirituais, corrigi-o com o espírito de brandura, e guarda-te para que não sejas também tentado (Gl 6.1).

De uma forma ou de outra, a habilidade de comunicar influencia todas as áreas e aspectos da vida. No namoro não é diferente. Dr. Wayne Mack comenta sobre a importância da comunicação no relacionamento:

> Sua comunicação pode ser vista como o sangue que dá vida ao relacionamento [...]. No corpo humano, se algo impede o fluxo do sangue, toda a pessoa sofre. Assim, se algo interferir com o fluxo de comunicação, todo seu relacionamento colherá as consequências...
>
> Muitas coisas desagradáveis podem acontecer quando pessoas não se comunicam eficazmente. Questões continuarão sem esclarecimento. Ideias erradas vão continuar sem correção. Conflito e mal-entendido se perpetuarão. Confusão e desordem ocorrerão. O desenvolvimento de unidade profunda, proximidade emocional e intimidade serão impedidos. Problemas interpessoais se empilharão e as barreiras ficarão cada vez mais altas e largas. A tentação

de procurar outra pessoa que satisfaça desejos sociais talvez seja encorajada. A tomada de decisões sábias será impedida.[115]

Casais podem crescer através de uma comunicação adequada ou podem sofrer pela falta da mesma. Certa vez alguém comentou: "Se duas pessoas sempre concordam, uma delas é desnecessária no relacionamento!" Desavenças acontecerão. A chave é saber lidar com elas.

A Palavra de Deus fornece princípios para a criação de hábitos de comunicação agradáveis ao Senhor. A prática desses princípios promoverá na vida do casal benefícios e hábitos que serão importantes não só no presente, como também na futura vida conjugal. Esses princípios são comumente chamados de "regras de comunicação".

Obviamente, existem inúmeras passagens nas Escrituras que lidam com o aspecto da comunicação interpessoal.[116] No entanto, as quatro regras de comunicação aqui consideradas são extraídas de um texto fundamental na vida cristã, Efésios 4.25-32. Cada uma das quatro regras enfatiza um aspecto que deve estar presente na comunicação entre pessoas que buscam agradar a Deus em todas as áreas de suas vidas, inclusive em suas palavras. Quando presentes, as regras de comunicação promovem relacionamentos maduros e aptos para solucionar conflitos.[117]

SEJA HONESTO

Cada um de vocês deve abandonar a mentira e falar a verdade ao seu próximo.
Embora o versículo 25 seja claro quanto à necessidade de falar a verdade,

---

[115] MACK, Wayne. *Preparing for marriage God's way.* Tulsa, OK: Virgil Hensley Publishing, 1986, p. 49.

[116] Por exemplo, veja Provérbios 18 e Tiago 3.

[117] Embora apresentemos as quatro regras de comunicação como uma maneira de substituir hábitos prejudiciais de comunicação, não desconsideramos a importância da influência do coração sob a comunicação (Mt 12.34).

nem todos aplicam o versículo por completo. Despojar-se da mentira é uma prática para toda a vida do cristão. Porém, esse não é único lado da moeda. Parte igualmente importante de uma comunicação que agrada ao Senhor é falar a verdade. Namorados devem criar o hábito de deixar a mentira e falar a verdade todo o tempo.

A mentira não se limita apenas a palavras não verdadeiras. Mentira também inclui levar o ouvinte ao entendimento equivocado dos fatos. Muitas vezes, namorados não são honestos com medo das consequências e acabam omitindo fatos importantes sobre o passado, presente ou ainda planos do futuro. Em vez de falar para agradar a Deus, o alvo é evitar conflitos ou tristezas temporárias. O resultado é um relacionamento baseado em mentiras e falsas impressões.

Portanto, no namoro e em qualquer relacionamento interpessoal, é responsabilidade do cristão falar a verdade; "seja honesto".

MANTENHA-SE ATUALIZADO

Os versículos 26 e 27 de Efésios 5 enfatizam *quando* os problemas devem ser resolvidos.

Quando vocês ficarem irados, não pequem. Apaziguem a sua ira antes que o sol se ponha, e não deem lugar ao Diabo.

O namoro é o momento inicial para o casal aprender a resolver conflitos rapidamente, antes que eles se tornem problemas com potencial de impactar até mesmo o futuro matrimônio.

A segunda regra de comunicação incentiva os namorados a resolver os problemas *hoje* e quanto antes. Problemas não resolvidos criam mais problemas. *Basta a cada dia o seu próprio mal* (Mt 6.34). Então, ao invés de deixar que problemas não resolvidos criem amargura ou explosões de raiva, namorados devem agradar a Deus através de uma habilidade crescente em resolver problemas o mais rápido possível.

Abaixo estão listadas sete perguntas que podem ajudar os envolvidos a provar a atitude do coração durante a comunicação para resolução de conflitos:

1. Eu tenho as informações certas?

Quem responde antes de ouvir comete insensatez e passa vergonha (Pv 18.13).

Nem sempre os problemas são o que parecem ser. Existe sabedoria em fazer perguntas para esclarecer os fatos e minimizar conflitos baseados em impressões erradas.

2. Estou falando no momento certo?

Dar resposta apropriada é motivo de alegria; e como é bom um conselho na hora certa (Pv 15.23).

Tão importante quanto o conteúdo é o momento escolhido para resolver problemas. Namorados precisam crescer em sabedoria para entender quando é o melhor momento para lidar com os problemas. Por exemplo, não é sábio resolver problemas de grande carga emocional quando um ou os dois já estão emocionalmente abalados. Quando necessário, o casal pode até contar com a presença de um conselheiro/mediador para ajudá-los.

3. Minha atitude está correta?

Antes, seguindo a verdade em amor, cresçamos em tudo naquele que é a cabeça, Cristo (Ef 4.15).

Qual é a razão para resolver o problema? Existe um interesse real no crescimento do próximo visando à glória de Deus ou apenas à atitude de "fazer justiça com as próprias mãos"?

4. Minhas palavras são de amor?

Antes, seguindo a verdade em amor, cresçamos em tudo naquele que é a cabeça, Cristo (Ef 4.15).

Tão importante quanto falar a verdade é comunicá-la em amor. O amor identifica o cristão e deve ser a base de todas as suas atitudes (Jo 13.34, 35).

5. Eu orei pedindo ajuda de Deus?

Confie no Senhor de todo o seu coração e não se apoie em seu próprio entendimento (Pv 3.5).

De tão óbvia e simples, essa é uma tarefa comumente esquecida por ambos. Orar pedindo a orientação de Deus revela dependência na sabedoria que só ele pode dar, um elemento necessário para viver de forma a agradar a Deus.

6) Eu estou falando com humildade?

Irmãos, se alguém for surpreendido em algum pecado, vocês, que são espirituais, deverão restaurá-lo com mansidão. Cuide-se, porém, cada um para que também não seja tentado (Gl 6.1).

7) Quando provocado, respondo de forma branda?

A resposta calma desvia a fúria, mas a palavra ríspida desperta a ira (Pv 15.1).

O texto não deixa dúvidas quanto à melhor maneira de acalmar uma tempestade. Como diz o ditado, é preciso dois para ter uma briga.

ATAQUE O PROBLEMA, NÃO A PESSOA

Resolver o problema não significa "eliminar" as pessoas envolvidas. O texto de Efésios 4.29, 30 ensina que uma comunicação que agrada ao Senhor é construída com palavras que edificam seus ouvintes.

Nenhuma palavra torpe saia da boca de vocês, mas apenas a que for útil para edificar os outros, conforme a necessidade, para que conceda graça aos que a ouvem. Não entristeçam o Espírito Santo de Deus, com o qual vocês foram selados para o dia da redenção.

Porém, muitos daqueles que violam a terceira regra de comunicação possuem propósitos premeditados. Nesse caso, o ataque contra pessoas possui apenas um objetivo: cumprir a vontade daqueles que usam palavras de ataque. Por vezes, o uso de palavras que não edificam sugere uma atitude de orgulho e não reflete a bondade e a mansidão do fruto do Espírito Santo (Gl 5.22, 23). Quando duas pessoas empenham seus esforços em resolver o problema, a possibilidade de gerar mais conflitos diminui drasticamente.

AJA, NÃO REAJA

A reação natural e comum de qualquer ser humano é o pecado. No contexto da comunicação, isso não é diferente. O texto de Efésios 4.31 é uma exortação para despojar de toda a reação pecaminosa natural: *Livrem-se de toda amargura, indignação e ira, gritaria e calúnia, bem como de toda maldade*. De uma forma geral, o conjunto de reações desses versículos refere-se à qualidade de relacionamentos interpessoais. São termos que fazem referência à atitude de amargura por vontades não satisfeitas, discursos maledicentes e atitudes motivadas pelo desejo de prejudicar o próximo. Ao contrário das reações pecaminosas, os namorados devem crescer no desenvolvimento de atitudes de bondade, compaixão e perdão (Ef 4.32).

Em resumo, a quarta regra de comunicação orienta os namorados a substituir reações pecaminosas por atitudes piedosas. Em Efésios 4.31 e 32 encontramos uma lista de atitudes que precisam ser substituídas e seus substitutos.

Boas regras de comunicação certamente não resolverão os problemas quando dois pecadores "porcos-espinhos" se aproximarem, mas poderão ajudar muito a diminuir a dor, promover o perdão e facilitar o entendimento mútuo que é a chave para intimidade e maturidade.

RESUMINDO

1. Seja honesto, fale sempre a verdade em amor.
2. Resolva os problemas de hoje, hoje.
3. Lide com os conflitos sem atacar as pessoas.
4. Planeje sua ação e não seja levado por suas reações.

PARA DISCUSSÃO

1. Em que sentido os "problemas de comunicação" são raiz de todos os males no relacionamento a dois?

2. Das quatro "regras para uma boa discussão" qual você acha mais importante, e por quê?
3. Das sete perguntas para avaliação pessoal diante de uma discussão, onde você falha mais?
4. Leia novamente Provérbios 15.1 e Gálatas 6.1. Como aplicar no dia a dia o conselho desses versículos? O rumo de toda discussão mudaria se esses princípios fossem seguidos?

24. QUANDO A DECISÃO FINAL NÃO É O CASAMENTO

"Não acredito que ele está me tratando dessa forma depois de tanto tempo juntos!" "Ano passado, estávamos falando de casamento, mas sem qualquer tipo de aviso, ele terminou o que poderia ter sido uma linda história de amor."
"Nunca mais irei namorar ninguém, pois nunca mais quero me machucar como dessa vez!"
"Eu sei que terminei um namoro há uma semana, mas ontem à noite eu acho que encontrei meu príncipe encantado!"
"Eu nunca gostei dela mesmo!"

Frases como essas ilustram sentimentos e reações diversas no momento do término de um namoro. Algumas revelam amargura, ódio, ciúmes, busca por vingança e até mesmo um foco exagerado em si mesmo. Seja como for, todas revelam a necessidade de aplicação de princípios bíblicos para encarar essa fase difícil da vida.

Até aqui o namoro foi visto como um preparo para o casamento. Porém, nem sempre o namoro termina em casamento. O namoro é um relacionamento provisório, que deve ser conduzido para a glória de Deus e que busca saber se o casal deve ou não, quer ou não, ingressar no casamento. As informações para essa decisão já foram apresentadas, sugerindo uma melhor compreensão do que o casamento é, suas implicações, um conhecimento mútuo entre o casal e os princípios imutáveis de sabedoria contidos na Palavra de Deus.

Às vezes, por razões diversas, casais decidem que o casamento não é o próximo passo para suas vidas. Decisões assim podem ser traumáticas quando não encaradas biblicamente.

O conjunto todo deve ser analisado debaixo de oração e conselhos. O tempo ideal para o desenvolvimento da convicção de casamento deve variar de acordo com a forma como o casal lida com todas as informações. No entanto, algumas perguntas podem ajudar o casal na decisão de partir do namoro para o casamento:

1. Ambos são crentes? O jugo desigual é reprovado biblicamente (2Co 6.14-16) e torna impossível a consumação do relacionamento conjugal como Deus planejou.

2. Existe um histórico que testemunha a habilidade do casal em solucionar problemas biblicamente? Essa habilidade será crucial para o futuro do casamento, que trará à tona inúmeras oportunidades de refletir o relacionamento entre Cristo e a igreja.

3. Existe o mesmo alvo de vida? Como exposto de forma ampla anteriormente, o casamento também implica companheirismo. O mesmo alvo de vida irá unir forças na busca de objetivos comuns.

4. Qual a opinião das pessoas que conhecem bem o casal referente à possibilidade de uma futura aliança de casamento? Normalmente, o envolvimento emocional cega as pessoas, deixando-as impossibilitadas de entender o que estão fazendo; existe um grande perigo nisso. Pessoas que conhecem bem o casal, principalmente os pais, são como um termômetro na identificação dos cuidados que a construção de um relacionamento exige.

5. Existem desejo e decisão de amar a pessoa como ela é

(está)? O amor irá aceitar a pessoa como ela é, não na esperança de que ela irá mudar. Uma piada popular afirma que "os homens se casam na esperança de que a mulher não mude – mas ela muda, sim. As mulheres se casam na expectativa que o homem mude – mas ele não muda nunca". Se por um lado o amor luta para que a pessoa seja tudo o que ela possa ser em Cristo Jesus, ele também não exige mudanças de acordo com expectativas unilaterais. Uma decisão bem-sucedida é alicerçada num compromisso mútuo de amor crescente, que trabalha em ambos os envolvidos na busca de um caráter cada vez mais maduro.[118]

Obviamente essas perguntas representam apenas as categorias mais amplas das muitas questões que envolvem a decisão final de casamento. Cada casal construirá sua história que será única e preciosa. No entanto, os princípios da Palavra de Deus colocam todos debaixo da decisão de seguir a Cristo nesse importante aspecto da vida. Quando o amor é centrado em qualquer outra coisa ou pessoa, os resultados serão apenas egoísmo, medo e ira. Aqueles que amarem a Deus acima de todas as coisas irão experimentar o verdadeiro contentamento refletido numa vida de amor ao próximo e, se for esse o caso, ao futuro cônjuge.

LIDANDO BIBLICAMENTE COM O TÉRMINO

Antes de tudo, os envolvidos no término do namoro devem *examinar seus próprios corações*. O trecho de Mateus 7.3-5 traz um importante princípio que deve ser aplicado a situações como essas. Pergunte: "qual a responsabilidade individual de cada um no processo de término do namoro ou dos problemas que levaram ao fim?" A natureza pecaminosa de cada namorado indica que existe

---

[118] As perguntas foram selecionadas e adaptadas do artigo de David Powlison; e John Yenchko. *Devemos nos casar? Cinco perguntas que precisamos fazer a nós mesmos antes de assumir um compromisso* (Atibaia: Coletâneas de Aconselhamento Bíblico, 2004), 142-154. Também foram usadas como referência em Joshua Harris, *Garoto encontra garota*, Ed. Atos.

sempre algo que cada um precisa mudar e crescer. Existe uma responsabilidade individual em agradar a Deus com as atitudes pessoais, não controlando as atitudes do próximo. Portanto, namorados podem examinar seus corações através de perguntas como:

> Você esperava que o namoro suprisse as suas necessidades emocionais? Onde estava sua esperança durante todo o relacionamento?
>
> Você tentou manipular o relacionamento para ter seus desejos satisfeitos?
>
> Você foi possessivo?
>
> Seu desejo, durante o namoro, foi sempre de casamento? Qual foi seu objetivo durante o namoro?
>
> Você foi sexualmente impuro? Tratou a outra pessoa com pureza?
>
> Você tomou uma postura acusadora?
>
> Como você reagiu quando suas vontades e preferências não foram satisfeitas?
>
> Você faltou com o perdão?
>
> Você foi egoísta? Como?
>
> Você procurou a melhor forma de comunicação para resolver os problemas?

As perguntas acima podem levar aqueles que enfrentam o término do namoro a agir de forma agradável ao Senhor. A seguir, algumas lembranças que também podem ajudar:

Lembrar que Deus está no processo. O término do namoro não é um momento de abandono por parte de Deus. O onisciente e onipresente Senhor está perto dos envolvidos nessa difícil fase da vida. E, Deus usará essa situação para moldar seus filhos à imagem de Cristo (Rm 8.28, 29).[119]

---

[119] Outras referências para ajudar os namorados a entender o valor do sofrimento nessa fase: Isaías 38.17; Salmo 84.11; 119.71; 2Coríntios 12.9; 1Tessalonicenses 5.16-18.

Retornar o mal com o bem (Rm 12.21). Uma lista de maneiras de como isso pode ser feito pode ajudar muito os envolvidos a entender como o amor cristão pode ser prático nessa fase onde emoções parecem dizer justamente o contrário.

Lembrar que a dor não durará para sempre se for tratada corretamente (2Co 4.17). No momento de dor é fácil perder de vista que as tribulações são momentâneas em contraste com o gozo da eternidade com Deus.

Usar o tempo extra para servir outros (Fp 2.4). Na dor, os envolvidos tendem a viver para si mesmos, com pena de suas situações. No entanto, este é o momento que deveriam servir outros e focar nas necessidades de outras pessoas. Esse é um poderoso antídoto para a "depressão" pós-término de namoro.

Comunicar aos conselheiros, especialmente aos pais, o término do relacionamento (Ef 6.1-3). Assim como o relacionamento deveria ter começado debaixo da orientação de pais e conselheiros cristãos, essas mesmas pessoas merecem a dignidade de uma comunicação sobre o término do mesmo. Embora difícil, o ideal seria que o rapaz falasse com os pais da moça explicando a decisão de terminar o namoro ou noivado. O alvo é que haja comunicação aberta, sem dar margem para mal-entendidos ou outros problemas como, por exemplo, mágoas entre as pessoas envolvidas no relacionamento desde o início.

PERDÃO

Infelizmente, é comum que no processo de término de namoro existam ofensas a serem tratadas. Alguns optam pelo caminho da amargura, porque decidem não fazer o que Jesus ensinou e exemplificou. Esses deixam de usufruir da alegria que Deus quer que experimentem numa vida de abundância (Jo 10.10).

Na prática, o perdão é *uma promessa para não trazer o assunto à tona diante da pessoa perdoada, nas costas da pessoa perdoada e também não amargar sobre o assunto consigo mesmo.*

Há um mandamento interessante em Efésios 4.32 que aponta o exemplo de Cristo como modelo do perdão que deve existir entre namorados e cristãos. *Sejam bondosos e compassivos uns para com os outros, perdoando-se mutuamente, assim como Deus os perdoou em Cristo.* Cristo é o exemplo de perdão que deve motivar namorados a exercer o perdão mútuo. Aliás, essa não é a única passagem que indica tal princípio. O texto de Mateus 18.23-35 é uma parábola de Jesus que explica como a consciência do perdão celestial impacta a postura no perdão horizontal. Diante do perdão de Cristo, dado quando ainda eram seus inimigos (Rm 12.10), cristãos devem ser motivados a exercer o perdão. *Não existe maior exemplo que o de Cristo e não existe ofensa que não possa ser perdoada.*

Outra lição do perdão de Cristo está relacionada ao seu mérito. Pessoas tendem a acreditar que o perdão deve ser merecido por alguém. Por isso que muitos namoros não terminam bem. Existe a crença por uma ou ambas as partes de que o próximo não é digno de receber o perdão. O resultado é uma amargura que é o reflexo de uma teologia longe dos ensinos das Escrituras. Cristo Jesus demonstrou graça em seu perdão e assim deve ser a atitude de cristãos com qualquer arrependido.

Obviamente, é melhor prevenir do que remediar. O casal sábio construirá uma amizade apropriada em que cada um tratará o outro como irmão no Corpo de Cristo, procurando manter a *unidade do Espírito no vínculo da paz* a qualquer custo (Ef 4.3), com toda pureza (1Tm 5.2). Irmãos e irmãs nunca "desmancham" o parentesco, e deve ser assim no Corpo de Cristo (1Co 12.25; Jo 17.23).[120]

RESUMINDO

1. Nem todo namoro acaba em casamento.
2. Cada um é chamado a avaliar seu próprio coração e sua contribuição para o término do namoro.

---

[120] TISSOT, Bob; RAHILL, Alex. *Sex, purity & holiness*, p. 56.

3. O perdão é uma promessa para não trazer o assunto à tona diante da pessoa perdoada, nas costas da pessoa perdoada e também não amargar sobre o assunto consigo mesmo.

PARA DISCUSSÃO

1. Na sua experiência, quais são alguns dos maiores erros que casais de namorados e noivos cometem quando terminam o relacionamento?
2. Como dar passos concretos no namoro para evitar ressentimento e mágoa no caso de um término?
3. Quais os passos concretos que alguém deve dar depois de decidir terminar o namoro?
4. Leia Mateus 18.21-35. Nessa história que Jesus contou, identifique quais princípios de perdão podem ajudar o casal depois de terminar um relacionamento?
5. Em sua opinião, quanto tempo alguém deve esperar depois de terminar um namoro para namorar outra vez? Quais os possíveis problemas de iniciar um novo namoro logo após o término do anterior?

CONSIDERAÇÕES FINAIS

Muito ainda poderia ser escrito e estudado sobre namoro e noivado. No entanto, espera-se que o livro tenha lhe desafiado a pensar o assunto do namoro à luz da Palavra de Deus. Esperamos também que o seu conteúdo desafie jovens solteiros à busca incessante pela glória de Deus através de decisões relacionadas ao casamento.

Por outro lado, espera-se que tenha ficado evidente a rica e profunda aplicação da Palavra de Deus nesse aspecto da vida. De fato, o namoro não é um conceito explorado explicitamente pela Bíblia, mas é um fator social que também deve ser moldado pelas Escrituras e não pelo mundo. A aplicação dos conceitos bíblicos de casamento e santificação progressiva ajuda na obtenção de sabedoria na condução do namoro.

A linha que separa a pureza da impureza é constantemente deturpada pelas diversas pressões pecaminosas, porém, o padrão divino traça uma clara distinção entre santo e profano, o que auxilia cristãos sinceros na busca do exercício da vontade de Deus revelada nas Escrituras. Sua Palavra reforça a linha que antes era mal vista por meio das lentes do secularismo.

Aqueles que já estão namorando podem contar com a Bíblia para os dirigir à maturidade e a uma decisão bem informada no que se refere ao casamento. Aqueles que já namoraram e colheram os amargos frutos do desconhecimento ou desobediência bíblica, também podem encontrar esperança na graça divina que tudo restaura para a honra e glória de Deus. Sim, ele usa todas as circunstâncias para moldar seus filhos no caráter de Cristo.

Aqueles que ainda não namoraram encontram na Palavra de Deus uma viva esperança de contentamento no serviço a Deus. O texto de 1Coríntios 7.24 incentiva cada cristão solteiro a canalizar esforços e energia para o serviço a Deus. Muitas iniciativas podem ser feitas debaixo do temor de Deus e para o seu serviço. Os solteiros sábios irão usar essa preciosa fase da vida para dedicarem-se aos valores celestiais. Também encontrarão na Palavra de Deus princípios que irão ensiná-los a lidar com os impulsos criados por Deus e guardá-los para o contexto correto.

Aqueles que acham que já passaram da hora também encontram consolo na perfeita e inerrante providência divina. Quando o tempo pressiona, molda a ansiedade e incentiva o desânimo, solteiros maduros encontram em Cristo Jesus a razão para continuar a busca por santidade, confiantes que Deus é fiel em suas promessas. Deus não tarda e também não falha.

Jovens solteiros são chamados à santidade numa importante fase da vida: descobrir como ou com quem irão passar o restante da vida. Essa descoberta envolve o namoro moldado por princípios bíblicos que irão equipar santos para as boas obras, de forma que o mundo veja a luz de Cristo e glorifique ao Deus Pai (Mt 5.16). Trata-se de mais uma oportunidade de mostrar o evangelho na prática, edificando os envolvidos e evangelizando os de fora.

Até o altar e depois, solteiros são chamados à santidade e à confiança no Deus que opera todas as coisas, fornece sabedoria para decisões bem informadas e tem prazer em fazer tudo isso. Em oração, solteiros são incentivados a crescer em piedade e na confiança que o fiel cônjuge é fruto da provisão divina (Pv 19.14), parte de sua vontade não revelada. E essa vontade é revelada em meio ao fiel cumprimento daquilo que já foi revelado, para a honra e glória do nome dele.

BIBLIOGRAFIA

TRABALHOS EM PORTUGUÊS

ADAMS, Jay E. *A vida cristã no lar*. São José dos Campos, SP: Fiel, 1996.

BURNS, Jim. *O prazer da espera: uma proposta radical sobre sexo e namoro*. São Paulo: Mundo Cristão, 1999.

CACP. Desenvolvido pelo Centro Apologético Cristão de Pesquisas, 2006. Apresenta o texto integral da *Confissão de Fé de Westminster*. Disponível em: <http://www.cacp.org.br> Acesso: 14 de setembro de 2006.

CLOUD, Henry; TOWNSEND, John. *Limites no namoro: quando dizer sim, quando dizer não*. São Paulo: Editora Vida, 2002.

ECO, Umberto. *História da beleza*. São Paulo: Record, 2004.

FITZPATRICK, Elyse. *Ídolos do coração*. São Paulo: ABCB, 2009.

GONÇALVES, Josué. *101 erros que os namorados não podem cometer*. São Paulo: Editora Mensagem para Todos, 2002.

GRANT, Wilson W. *Jovens, sexo e o amor* São Paulo: Mundo Cristão, 1985.

HARRIS, Joshua. *Eu disse adeus ao namoro*. São Paulo: Atos, 2003.

HARVEY, Dave. *Quando pecadores dizem "sim"*. São José dos Campos: Fiel, 2009.

JOÃO CRISÓSTOMO. *Contra os espetáculos*. Disponível via URL em: <www.meumundo.americaonline.com.br> Acesso: 13 de março de 2006.

KEMP, Jaime. *Namoro*. São Paulo: Lar Cristão, 2000.

KÖSTENBERGER, Andreas J.; JONE, David. *Deus, casamento e família:* *Reconstruindo o fundamento bíblico.* São Paulo: Vida Nova, 2011.

MACARTHUR, John Jr.; WAYNE, Mack. *Introdução ao aconselhamento bíblico.* São Paulo: Hagnos, 2004.

PINTO, Carlos Osvaldo. *Foco e desenvolvimento no Antigo Testamento: Estruturas e mensagens dos livros do Antigo Testamento.* São Paulo: Hagnos, 2006.

POWLISON, David A.; YENCHKO, John. *Devemos nos casar? Cinco perguntas que precisamos fazer a nós mesmos antes de assumir um compromisso. Coletâneas de Aconselhamento Bíblico.* I, 1, 2004.

PRIOLO, Lou. *Maridos perseguindo a excelência: Princípios bíblicos para maridos que almejam o ideal de Deus.* São Paulo: Nutra, 2011.

RAINEY, Dennis. *Ministério com famílias no século 21: 8 grandes ideias para pastores e líderes.* São Paulo: Editora Vida, 2001.

SOUZA, Rodson. *Você e o seu namoro.* Ariquemes, RO, 1996.

STREET, John. *Purificando o coração da idolatria sexual.* São Paulo: Nutra, 2009.

TRABALHOS EM INGLÊS

ADAMS, Jay E. *A theology of christian counseling.* Grand Rapids: Zondervan, 1979.

_____. *The use of the Scriptures in counseling.* Philliphsburg, NJ: P&R, 1982.

AUCOIN, Brent. *Questions about biblical principles on dating.* Lafayette, IN: Faith Baptist Church, 2009.

BAKER, Alvin L. *Knowing the will of God: Toward a practical theology*, part 1. *The Journal of Pastoral Practice.* VIII, 1, 1985.

_____. *Knowing the Will of God: Toward a Practical Theology*, part 2. *The Journal of Pastoral Practice.* VIII, 2, 1986.

BEALE, G. K. *We become what we worship.* Downers Grove, IL: IVP, 2008.

CARSON, D.A.; MOO, Douglas. *Introduction to the New Testament.* Grand Rapids: Zondervan, 1992.

DRISCOLL, Mark. *Dating, relating, and fornicating.* Oct 26, 2011. Acesso: 28 de dezembro de 2011.

http://pastormark.tv/2011/10/26/dating-relating-and-fornicating

Bibliografia

ELLIOT, Elisabeth. *Passion and purity.* Grand Rapids: Fleming H. Revell, 1984.

EMLET, Michael R. *Understanding the Influences on the Human Heart. The Journal of Biblical Counseling,* XX, 2, 2002.

Faith Baptist Church Staff. *Biblical principles of love, sex and dating.* Lafayette, IN: Faith Baptist Church.

_____. *Counseling training syllabus.* Lafayette, IN: Faith Baptist Church, 2007.

FRIESEN, Garry; MAXSON J. Robin. *Decision making and the will of God.* Sisters: Multnoah, 1980.

GREEN, Rob. *Questions about biblical interpretation.* Lafayette, IN: Faith Baptist Church, 2009.

HARRIS, Joshua. *Boy meets girl.* Sisters: Multnomah, 2000.

JEHLE, Paul. *Dating vs. courtship: a vision for a generation who will build a new foundations of truth, love and purity.* Marlboro, NJ: Plymouth Rock Foundation, 1993.

MACK, Wayne. *Preparing for marriage God's way.* Tulsa, OK: Virgil Hensley Publishing, 1986.

PETTY, Jim. *Guidance and the plan of God. The Journal of Biblical Counseling.* XVII, 3, 1999.

PHILLIPS, Michael and Judy. *Best friends for life: an extraordinary new approach to dating, courtship and marriage – for parents and their teens.* Minneapolis: Bethany House, 1997.

RYKEN, Leland. *Words of delight: A literary introduction to the Bible.* Grand Rapids: Baker Academic, 2007.

SCOTT, Stuart. *The exemplary husband.* Bemidji: Focus, 2002.

SMITH, Robert D. *Biblical principles of sex.* The Journal of Pastoral Practice, VII, 2, 1984.

THOMAS, Gary. *Sacred marriage.* Grand Rapids: Zondervan, 2000.

TISSOT, Bob; RAHILL, Alex. *Sex, purity and holiness: a biblical perspective on sexuality and relationships.* Jones, MI: Bair Lake Ministries, 2002.

ZACHARIAS, Ravi. *I, Isaac, take thee, Rebekah: moving from romance to lasting love.* Nashville: W Publishing Group, 2004.

Sua opinião é importante para nós.
Por gentileza, envie-nos seus comentários pelo e-mail:

editorial@hagnos.com.br

Visite nosso site:
www.hagnos.com.br